スウェーデンのフェアと幸福

福島淑彦

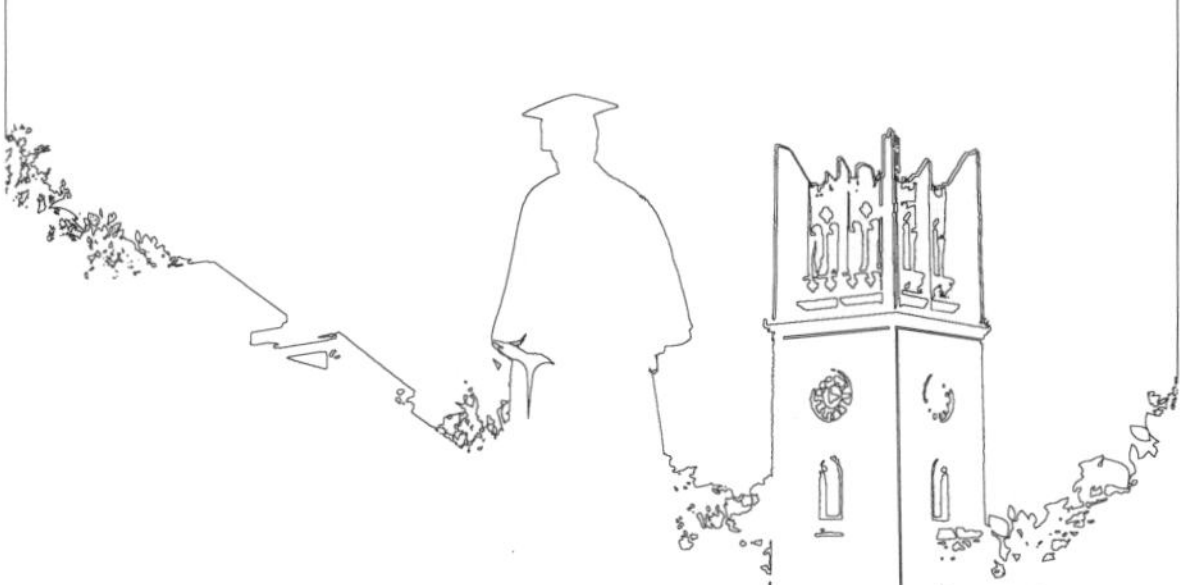

早稲田新書
015

まえがき

「スウェーデン」という国名から読者の皆さんはどのようなことをイメージされるだろうか。スウェーデンに特に興味を持っていない人でも、組立家具メーカーのＩＫＥＡ、アパレルメーカーのＨ＆Ｍ、自動車メーカーのボルボやサーブ、音楽配信サービス会社のＳｐｏｔｉｆｙ（スポーティファイ）といった会社の商品やサービスについて見たり聞いたり、あるいは購入したり利用したりしたことのある人は多いのではと想像する。これらは全てスウェーデン発祥の企業である。スウェーデン企業の商品やサービスは案外多く日本に入ってきているのである。

日本人がスウェーデンという国に対して抱くイメージは、おそらく「社会福祉の充実した国」、「税金の高い国」、「ノーベル賞の国」、「バイキングの国」「白夜やオーロラの国」というものが多いのではないだろうか。しかし、米国や中国などと比較すると、日本ではスウェーデンのことはあまり知られていない。かくいう私も、30代の１９９０年代にＰｈ．Ｄ．（博士号）取得のためにスウェーデンに留学するまでは、スウェーデン社会というものを詳しくは知らなかった。私がスウェーデンに留学してから約30年が経過するが、その間、二度、合計10年以上スウェーデンに住んでいる。スウェーデンに住んでいない時も、年に数回定期的にスウェーデンを訪問している。そんな私が読者の皆さんに断片的ではないスウェーデンという国を知ってもらいたいという思いで本書を執筆した。特に、読者の皆さんにお伝えしたいのは、スウェーデンは安心・安全を感じられるとてもフェアな国であるということである。それこそが、スウェーデン国民の幸福度が高いことの源泉である。本書では、スウェーデンがどのようにして安心・安全でフェアな社会を構築し、維持しているのかを、日本と比較することを通して読者の皆さんにご紹介したい。本書を通じてスウェーデンで実現できている「安心・安全でフェアな社会」がなぜ日本ではうまく実現されていないのかについて考えるキッカケを、読者の皆さんに提供できれば良いと考えている。

目次

序　章　「慈善の精神」と「社会の透明性」

スウェーデンの人口は、日本の人口の約12分の1、東京都の約4分の3の約1000万人である。国土は日本の約1・2倍の広さがあるが、気候は日本よりも寒い。ちなみに、スウェーデンの最南端の都市マルメの緯度が56度であるのに対して、北海道の最北に位置する稚内の緯度は45度である。スウェーデンの国全体の経済規模を占めす国内総生産（GDP）は、日本全体の約10分の1、東京都の5割強である。では、スウェーデン人の生活ぶりは他の国の人たちと比べて、どのような特徴があるだろうか。国際機関や国際シンクタンクから様々な国別ランキングが発表されている。その中で、国民がどれだけ幸せを感じているかを順位付けている国連の幸福度のランキングをご紹介したい。

国連の持続可能な開発ソリューションネットワーク（Sustainable Development Solutions Network：SDSN）が2012年以降、毎年発表している世界幸福レポート（World Happiness

表 0－1　世界幸福度ランキング

国	2010-12（156カ国・地域）		2012-14（157カ国・地域）		2013-15（155カ国・地域）		2014-16（155カ国・地域）		2015-17（156カ国・地域）		2016-18（156カ国・地域）		2017-19（153カ国・地域）		2018-20（149カ国・地域）		2019-21（146カ国・地域）	
	スコア	順位	スコア	順位	スコア	順位	スコア	順位	スコア	順位	スコア	順位	スコア	順位	スコア	順位	スコア	順位
日本	6.064	43	5.987	46	5.921	53	5.920	51	5.915	54	5.886	58	5.871	62	5.940	56	6.036	54
スウェーデン	7.480	5	7.364	8	7.291	10	7.284	10	7.314	9	7.343	7	7.353	7	7.363	7	7.384	7
デンマーク	7.693	1	7.527	3	7.526	1	7.552	2	7.555	3	7.600	2	7.646	2	7.620	2	7.636	2
フィンランド	7.389	7	7.406	6	7.413	5	7.469	5	7.632	1	7.769	1	7.809	1	7.842	1	7.821	1
ノルウェー	7.655	2	7.522	4	7.498	4	7.537	1	7.594	2	7.554	3	7.488	5	7.392	6	7.365	6
アイスランド	7.355	9	7.561	2	7.501	3	7.504	3	7.495	4	7.494	4	7.504	4	7.554	4	7.557	4
フランス	6.764	25	6.575	29	6.478	32	6.442	31	6.489	23	6.592	24	6.664	23	6.690	21	6.687	20
ドイツ	6.672	26	6.750	26	6.994	16	6.951	16	6.965	15	6.985	17	7.076	17	7.155	13	7.034	14
イタリア	6.021	45	5.948	50	5.977	50	5.964	48	6.000	47	6.223	36	6.387	30	6.483	28	6.467	31
オランダ	7.512	3	7.378	7	7.339	7	7.377	6	7.441	6	7.488	5	7.449	6	7.464	5	7.415	5
スイス	7.650	3	7.587	1	7.509	2	7.494	4	7.487	5	7.480	6	7.560	3	7.571	3	7.512	4
イギリス	6.883	22	6.867	21	6.725	23	6.714	19	6.814	19	7.054	15	7.165	13	7.064	17	6.943	17
オーストラリア	7.350	10	7.284	10	7.313	9	7.284	9	7.272	10	7.228	11	7.223	12	7.183	11	7.162	12
ニュージーランド	7.221	13	7.286	9	7.334	8	7.324	8	7.324	8	7.307	7	7.300	8	7.277	9	7.200	10
カナダ	7.477	6	7.427	5	7.404	6	7.316	7	7.328	7	7.278	9	7.232	11	7.103	14	7.025	14
アメリカ	7.082	17	7.119	15	7.104	13	6.993	14	6.886	18	6.892	19	6.940	18	6.951	19	6.951	15
中国	4.978	93	5.140	84	5.245	83	5.273	79	5.246	86	5.191	93	5.124	94	5.339	84	5.585	72

出所：SDSN のデータを基に作成。

Report）の中で、世界の約160の国や地域の幸福度を比較した幸福度のランキングを発表している。幸福度指数は、米国で1935年に設立された世論調査会社の世界各国の世論調査のデータをベースに作成されており、大きい値であればあるほど幸福度が高いことを意味している。幸福度ランキングは直近3年間の幸福度指数の平均値を基に順位付けしている。表0-1は幸福度ランキングの上位に位置している国々と主要国の幸福度ランキングをまとめたものである。

この表からも明らかなように、幸福度ランキングが発表されて以来、スウェーデンは150前後ある調査対象国の中で常に上位10位以内にランキングされている。その一方で、日本の順位は50位前後で推移している。ランキングの上位国には、ヨーロッパのいわゆる「小国」と呼ばれる国々が名を連ねている。よく日本のメディアでは、北欧諸国のような小さな国は、多種多様なバックグランドを持つ国民で構成されている米国のような大国と違い国民が同質的であるので、福祉社会の構築がしやすく、結果として、人々のウェルビーイング（Well-Being）が高いという議論がなされている。しかし、過去の研究で、国の大きさが小ければ小さいほど幸福度や人々のウェルビーイングが上昇するということは証明されていない。反対に、国の規模が大きければ大きいほど、個人の生活満足度が上昇すると結論付けている研究もある。つまり、国の大きさと幸福度や人々のウェルビーイングとの間に、明確な相関関係が成立しているということは証明されていない。

「小国は同質的な国民で構成されている国」という通説は、北欧諸国には当てはまらない。スウェーデンをはじめとする北欧諸国は、移民が多く、北欧諸国以外で生まれた人たちの割合が非常に高い。スウェーデン統計局のデータによれば、2021年12月末時点でのスウェーデンの人口の35％以上がスウェーデン以外の国をルーツに持つ人たちである。つまり、全国民の3分の1以上がスウェーデンへ移住してきた人か、移住してきた人たちから生まれた子供たちなのである。このように、スウェーデンや他の北欧諸国は決して同質的な人たちで構成されている国ではない。一方、日本は外国生まれで日本国籍を有している人や外国籍の人の割合が非常に小さい国、いわゆる同質的な人たちで構成されている国である。ＯＥＣＤ（経済協力開発機構）によれば、2019年の日本の総人口に占める外国人（外国籍の人）の割合は2・3％であったのに対して、スウェーデンのそれは9・3％であった。出身国が異なるということは、宗教、文化、慣習が異なることを意味する。宗教、文化、慣習などが異なるバックグラウンドを持つ人たちが増えて、民族の多様性が増すと社会に対する信用・信頼は低下する傾向があると一般にはいわれている。しかし、そのようなことは北欧諸国では起こっていない。

「スウェーデンは同質的な国民で構成されている小国である」といった通説以外に、スウェーデン人のウェルビーイング（幸福度）に関係する通説は多数存在している。例えば、「スウェーデンは自殺率が非常に高い」、「スウェーデンの離婚率は高く婚外子も多い」などである。確かにスウェーデン社会の負の側面として、スウェーデンは自殺率が先進国の中で最も高い国の一つであると日本では以前よく紹介されていた。実際、1960年代のスウェーデンの自殺率は先進国で最も高い国の一つであった。その理由として、暗くて寒い冬が長く続くことが強調された。冬が暗くて長いことがうつ病の一種である「季節性情動障害（SAD）」を引き起こすことはよく知られている。また、うつ病患者はうつ病患者でない人よりも自殺率が高いことも事実である。スウェーデン政府は、社会福祉サービスやメンタルヘルスサービスを充実させることによって自殺率を劇的に減少させた。OECDによれば、スウェーデンの自殺率が最も高かった1970年には、1000人中23・1人が自殺していた。しかし、2010年以降は12人未満で推移しており、この水準は米国、ドイツ、フランス等の国々と同水準である。しかし、ここで驚くべきことは、スウェーデンの自殺率が高いといわれていた1960年代でさえ、ある時期を除いて日本の自殺率の方がスウェーデンの自殺率よりも高かったという事実である。1960年から2019年の期間で、1967年から1971年の5年間以外は日本の自殺率の方がスウェーデンの自殺率よりも高かったのである。日本で紹介されていた（いる）ほどには、スウェーデンの自殺率は高くはなかったということである。ちなみに、先進国で交通事故死者数よりも自殺者数の方が多いのは日本だけである。ではなぜ、スウェーデンの自殺率は誇張されて報道されたのであろうか？　1960年代から1970年代のスウェーデンは経済成長が著しく社会福祉制度を充実させた時期で、世界各国の注目を集めていた。想像するに、スウェーデンに対する「やっかみ」が、スウェーデン社会の負の側面をあえて強調する形での報道されたのではないだろうか。

自殺率と同様に、離婚率についても、いわれているほどにはスウェーデンの離婚率は高くはない。OECDによれば、2019年に日本で1000人中1・7人が離婚していたのに対して、スウェーデンでは2・5人であった。一方、同年の結婚に関しては、日本が1000人中4・8人が結婚したのに対して、スウェーデンは4・7人であった。結婚という形態とは別に、スウェーデンでは結婚せずに同棲する事実婚・同棲婚（サンボ、Sambo）という形で家族を形成する人たちが非常に多く存在する。カップルが共同生活をする上で、結婚していることもサンボであることも本質的には差がない。従って、結婚していなくてサンボという関係のまま子供を産み育てるカップルは非常に多い。サンボのカップルの子供はいわゆる婚外子である。従って、日本婚外子の割合は日本と比べるとはるかに多い。OECDによれば、2018年のデータで、日本では生まれた子供の2・3％が婚外子だったのに対して、スウェーデンは54・5％が婚外子であった。つまり、生まれた子の半分以上が婚姻関係のないカップルから生まれているということなのである。ＯＥＣＤ諸国の中で、婚外子の割合が多いのは、北欧諸国とフランスである。また、17歳未満の子供が両親と同居している割合をみてみると、２０１５年のデータで日本は87・6％、スウェーデンは79・5％であった。母親か父親のいずれか片方と同居している17歳未満の子供の割合は、日本は12・2％、スウェーデンは19・4％であった。つまり、両親あるいは片親と同居している17歳未満の子供の割合はスウェーデンも日本も99％である。スウェーデンではたとえ婚外子であっても結婚しているカップルと同じように親がちゃんと子供の面倒を見ているということである。ただ、離婚率、婚姻率、婚外子の割合からもわかるように、カップルが別れて新しいパートナーを見つける頻度、パートナーを変更する頻度が日本よりもスウェーデンの方が高いのである。

世界幸福レポートでは、各国の国民が感じる幸福度がどのような要素に依存しているのかを分析している。具体的には、①1人当たりＧＤＰ、②平均寿命、③困った時に頼ることができる人の存在の有無、④人生における選択の自由の程度、⑤他者への寛容さ（直近の1カ月で寄付を行ったか否か）、⑥国（政府）への信頼度（腐敗が蔓延しているかどうかという認識）、の6つの要素がどの程度幸福度に影響を及ぼしているのか（寄与度）を計量的に分析している。この6つの要素のうち、幸福度ランキングの順位に関係なく、①から④の要素の幸福度指数への寄与度は全ての国で高い。つまり、経済的豊かさの一つの基準である1人当たりＧＤＰが大きいほど、健康状態や衛生状態の代理変数である平均寿命が長いほど、社会的サポートの手厚さを表している頼れる人が存在していること、意思決定の際の選択の自由度が高いほど、幸福度指数は高くなることは各国で共通している。スウェーデンを含めた幸福度ランキングの上位国に共通しているのは、慈善の精神の多寡を表している⑤と、社会の透明性の水準を表している⑥の幸福度指数への寄与度が大きいことである。幸福度ランキングが下位になればなるほど、慈善の精神と社会の透明性の水準の幸福度指数への寄与度は小さくなっていく傾向にある。

慈善の精神と社会の透明性に関して、幸福度ランキング上位国であるスウェーデンと中位国である日本とを比較して考えてみよう。日本人の幸福度指数に関しては、慈善の精神と社会の透明性の寄与度は極端に低い。特に、慈善の精神は、日本人が感じる幸福感には全く寄与していないことが世界幸福レポートで示されている。日本人の慈善の精神に関しては、英国のチャリティー援助財団（Charities Aid Foundation：CAF）が２００９年から発表している世界寄付指数（World Giving Index）のランキングがその状況を如実に示している。最新の２０２０年の「世界寄付指数」の国際ランキングで日本は調査対象国１１４カ国中最下位の１１４位であった。同指数は、

「助けを必要としている見知らぬ人を助けますか」「慈善団体に寄付しましたか」「ボランティア活動を行いましたか」という3つに質問に対して、「はい」と回答した人が何パーセントいるかをそれぞれの質問に対して算出し、3つのパーセンテージの平均をとった値である。最下位の日本の寄付指数は12％と、113位のポルトガルの20％と比較してもとびぬけて低い値であった。もちろん、世界の全ての国について調査されているわけではないが、日本人の慈善の精神が非常に低い水準であるのは事実である。そのため慈善の精神が日本人の幸福度指数に全く影響を及ぼしていないというのは当然と言えば当然であろう。日本人の慈善の精神が低い理由として、日本ではこれまで自分の問題は自分で解決するという「自助」の考え方に重点が置かれてきたことがあるのではないか。言い方を換えれば、慈善の精神を基礎とする共に助け合う「共助」や公的機関が助ける「公助」に頼り切ることに不安を感じてきた結果、日本人の慈善の精神が低いものとなっているのではないだろうか。様々な社会保障制度は、みんなでお金を出し合って助け合う「共助」の精神に基づいている。代表的な公的な社会保障制度には、年金制度、医療保険制度、介護保険制度などがある。しかし、日本ではその制度設計が甘いためこれらの制度における公平性と持続可能性が担保されているとは言えない状況にある。つまり、保険料負担と保険加入によって得られる便益の関係が、制度に加入している全ての人に対して公平な状況にはない。さらには、これらの制度は本来全ての人が安心して生活できるように設計されているはずなのに、人口の年齢構成の変化に対する予測が甘いうえにその変化に対して場当たり的な修正で対応してきた結果、「共助」や「公助」の制度のみに頼っていては安心して生活ができないのが現状である。結局、最終的には「自助」で賄わなくてはならない状況にある。その一例が年金制度に関する「老後資金２０００万円問題」である。これは２０１９年の金融庁の報告書で、老後に平均的な生活を行うためには年金受給額に加えて老後資金として２０００万円が必要であると指摘された問題である。また介護保険制度についても、介護保険制度を利用したサービスだけでは必要な介護サービスを十分に受けることができないため、親の介護のために仕事を辞めせざるを得ない人が日本には多数存在している。このように、日本では「共助」の精神に基づく公的社会保障制度が十分に機能しておらず、最終的には自分でどうにかしなければならない状況になっている。特に年老いてからの生活を安心して送るためには「共助」に基づく制度だけでは困難なのである。「共助」の代表的な制度である公的社会保障制度を当てにすることができない状況が、自分のことは自分で解決しなくてはならないと判断する傾向をさらに強め、他人に対しても「自分のことは自分で解決すべきである」という考えに至るのであろう。このようなことが、日本人の慈善の精神が低いことの背景にあるではないだろうか。公的社会保障制度への信頼の低下は、さらには制度を管理運営している国への信頼の低下へと結びついてしまっている。

一方、スウェーデンでは慈善の精神が反映されている公的な年金制度、医療保険制度、介護保険制度などの制度設計が長期的視点で厳格に設計されており、国民に安心を与える制度となっている。年金制度に関していえば、自分が払い込んだ年金保険料と将来の年金給付額を知らせる封書が毎年届く。日本でも2009年4月から「ねんきん定期便」が被保険者全員に送付されるようになり、払い込んだ年金保険料や将来の年金給付額についての情報が提供されるようになった。しかし、ねんきん定期便が送付されるようになったのは、年金に関する情報に多くの誤りがあることが発覚したことをきっかけに年金の加入記録情報を確認するためであった。スウェーデンのように個人の年金口座情報の透明性を高めるという目的から始まったわけではない。さらに、日本の年金制度に関する根本的な問題は、先ほども記したように、公的年金の給付額が老後の生活を送るには十分ではないということである。スウェーデンの年金制度では、払込年金保険料が少ない場合でも、老後には最低限の生活を送ることができるように最低限の年金給付額が保証されている。その最低年金給付額は毎年送られてくる年金通知書に明記されており、老後の生活に対する「安心」を提供している。と同時に、政府への国民の信頼を高めている。

次に幸福度ランキング上位国に共通する幸福度指数への寄与度が大きい社会の透明性について

考えてみたい。スウェーデンは社会の透明性が非常に高い国だという印象を30年近くスウェーデンとかかわっている私自身強く持っている。ただし、スウェーデンの社会の透明性が高いことがスウェーデン国民の幸福度を高めているのではなく、スウェーデン社会が安心・安全でフェアな社会だからであると思う。安心・安全でフェアな社会のためには高水準の社会福祉サービスを国民に提供する必要がある。高水準の社会福祉サービスを提供するためには財源が必要であり、それは国民が納める税金である。もし税金を負担することなく手厚い社会福祉サービスを容易に享受できるような状況であるならば、手厚い社会福祉制度はいずれ維持できなくなってしまう。つまり、制度にただ乗りするフリーライダーが容易に増えるような状況であると、その制度はいずれ破綻してしまう。安心・安全でフェアな社会のためには、手厚い社会福祉制度が必要であり、持続可能な手厚い社会福祉制度のためにはズルをすることができない社会の透明性が不可欠なのである。

私自身の経験をまじえながら、どのような制度がスウェーデンの社会を形作っているのか次章以降でみていこう。

第一章　情報公開と国民性

▽公的情報は国民のもの

スウェーデンでは、今から250年以上も前から情報公開が法律で規定されている。スウェーデン憲法は4つの基本法[1]から構成されているが、そのうちの一つで情報公開に関する基本法である「出版の自由に関する法律（Tryckfrihetsförordning）」は1766年に制定されている。「出版の自由に関する法律」は、印刷メディアにおける表現の自由と公文書への制限のないアクセスを認めることを世界で初めて定めた法律である。この法律では、印刷メディアが公的機関による事前の妨害なしに出版する自由と、出版物において自らの見解を自由に表明する権利を保障している。公文書の公開に関しては、公文書の定義、公文書へのアクセス権の保障、公文書の開示請求の手続等について定められている。つまり、今から250年以上前に、スウェーデンでは世界で一番早く報道の自由と情報への制限のないアクセスが法律で定められたのである。また、情報伝達技術の発展とともに、印刷物以外のメディアにおける表現の自由を保障する法律の必要性が認識されるようになり､最後の基本法である「表現の自由に関する基本法」(Yttrandefrihetsgrundlag)が１９９１年に制定された。この基本法が対象とするメディアは、印刷メディア以外のラジオ、テレビ、映画、ビデオ、ＣＤ、ＤＶＤ、インターネット等である。対象となるメディア媒体が異なるだけで、内容はほぼ「出版の自由に関する法律」と同一である。つまり、「表現の自由に関する基本法」は「出版の自由に関する法律」を補完する法律なのである。ここでお気付きだとは思うが、４つの基本法で構成されるスウェーデン憲法のうち、２つの基本法が、情報公開と表現の自由に関する法律なのである。このことからもスウェーデンでは情報公開と表現の自由がいかに重要視されているかがわかる。基本法で定義されている公文書には、手紙、報告書、コンピューターに保存された文書や画像の情報も含まれている。閲覧できない文書は、国家の安全に関わるような文書など非常に特殊な文書のみである。また、スウェーデンで公文書にアクセスする際の費用は基本的には無料であり、アクセスする人が自分の氏名や身元、公文書にアクセスする理由を明らかにする必要はない。つまり、誰でも基本的に自由に公文書を閲覧することができるのである。これらの規定やルールは、スウェーデンが開かれた社会であることを保証するために必要であると政府は宣言している。

情報公開の世界的な流れを受けて、日本でも１９９０年代半ばから情報公開に関する議論が始まった。２００１年には「行政機関の保有する情報の公開に関する法律」が、２００２年には「独立行政法人等の保有する情報の公開に関する法律」が施行された。法律の文言だけを見れば、日本でもスウェーデンと同じように国民の誰もが公文書を閲覧できると思うかもしれない。しかし、実態は全く異なる。情報公開に関する日本の法律には、開示しなくてもよいとする「不開示に関する例外規定」が幅広く存在し、政府の裁量で開示するか開示しないかを決定することが許されている。実際、これまで開示請求され、開示された公文書は、いわゆる「黒塗り」で覆いつくされ、内容を全く理解・把握できないものが数多くあった。加えて、１件の行政文書を開示請求するごとに３００円の手数料が必要である上に、開示請求した文書が不開示決定された場合でも手数料は返金されない。情報公開を規定する法律は存在するものの、そもそも日本の行政機関や政府には公文書の情報を開示し、国民に政府や行政が行っていることを理解してもらおうという姿勢が全く感じられない。開示できないということは、公文書に記された自分たちの発言や行動を公明正大に正当化できないからであろう。情報公開を「３００円テロ」と公務員自身が揶揄しているという報道もある。これは、１件につき３００円でできる情報公開請求によって、業務負担が増えることに対する公務員の「被害者意識」からでた言葉であろう。「３００円テロ」という言葉からは、情報公開に対して後ろ向きな公務員の姿勢がうかがえる。と同時に、このような報道がなされると国民の行政への不信がさらにつのるだろう。日本もスウェーデンを見習い、情報公開を徹底し透明性を高めることができないだろうか。

▽集約される個人情報

スウェーデンの「情報公開」への姿勢は、パーソナルナンバー（Personnummer）というＩＤ番号による情報管理にも表れている。スウェーデンでは、住民ひとりひとりにパーソナルナンバーが付され、個人のありとあらゆる情報が紐付けされている。パーソナルナンバーは全て異なる番号で、導入されたのは１９４７年である。当初９桁の数字であったが、１９６７年にパーソナルナンバーの管理がコンピューター化にされたのに伴い、10番目のチェック用番号が導入された。現在のパーソナルナンバーは10桁の数字で構成されている。パーソナルナンバーが６４０８２３‐１２３７の人を例にとって、パーソナルナンバーの数字の配列について説明したい。はじめの６桁の番号は生年月日を年、月、日の順番で記したものである。つまり、このパーソナルナンバーを持つ個人は１９６４年８月23日生まれであることを示している。ハイフンの後の初めの３桁の数字は男性には奇数の番号が、女性には偶数の番号がランダムに割り振られている。１９

90年以前は、ハイフンの後の3桁の数字は生まれた県（Län）ごとに番号の範囲が決まっていて、その数字の中からランダムに番号が付けられた。例えば、ストックホルム地域は001から139までの範囲でランダムに数字が割り当てられていた。パーソナルナンバーから生まれた県がわかりそれが差別に繋がる可能性があるという批判もあり、1990年以降は、全国一律で3桁の番号が付けられるようになった。従って、1990以降に割り振られたパーソナルナンバーの数字から読み取ることができる情報は、生年月日と性別のみである。最後の数字（10番目の数字）は、チェック用の番号で、ルーン・アルゴリズム(2)によって算出される。100歳を過ぎると6個目と7個目の数字の間の「-」が「+」となる。パーソナルナンバーは一旦取得すると、原則として一生、同じ番号を使い続ける。引っ越し、結婚、離婚、改姓・改名を行ってもパーソナルナンバーは変わらない。ただし、生年月日に誤りがあった場合や、性転換し性別が変わった場合にはパーソナルナンバーは変更される。

▽秘匿される個人情報とそうでない個人情報

パーソナルナンバーには個人のありとあらゆる情報が紐付けされており、そのデータベースがSPAR（Statens personadressregister, Swedish Population and Address Register, スウェーデン人口住所登録）というものである。ＳＰＡＲは国税庁によって管理されており、個人情報が日々アップデートされている。10桁のパーソナルナンバーと紐付けられている情報には、①住所や家族構成などの住民登録に関する情報、②個人の所得、所有する不動産や自家用車、負債、納めた税金、受け取った児童手当などの補助金、納付した年金保険料、受取年金、銀行取引、民間保険取引などのお金に関する情報、③教育、雇用、失業に関する情報、④過去の医療費の支払いや決済、病歴や医療歴などの健康に関する情報、⑤運転免許証、交通違反歴、犯罪歴などに関する情報、⑥出入国やパスポートに関する情報、⑦兵役に関する情報、などがある。行政機関、民間企業、個人から申請があれば、これらの個人情報は申請者に有料で提供される。個人情報を申請するのは、主に国の省庁、自治体の他、銀行、保険会社、薬局（国営）、信用調査会社、投資調査会社、大学、マスメディアなどである。ただし、申請したからといって全ての情報が申請者に提供されるわけではない。提供する情報の種類と情報提供の可否はＳＰＡＲの委員会で審査を行なった上で決定される。しかし、スウェーデンでは情報は原則全て開示されることとなっている。これは先にも記して１７７６年制定の「出版の自由に関する法律」によって、全ての国民に情報への制限のないアクセスが認められているためである。一例として、スウェーデンでは他人の所得や納税額については閲覧することができる。日本では考えられないが、スウェーデンにおいてはそれらは秘匿すべき個人情報とされていないのである。

一般的には秘匿すべき個人情報とは、プライバシーに関する情報である。そもそも個人情報は、個人に直接および間接的に関連する全ての情報を指し、氏名や生年月日等で個人を特定できる情報をいう。具体的には、氏名、生年月日、住所、電話番号、メールアドレス、社会保障番号、年金番号、パスポート番号、写真などである。それらのうち、機密性の高い情報がプライバシーに関する情報となるわけだが、スウェーデンではこれらは全て公開されている。それでは何がプライバシーに関する情報とされているのかというと、①人種または民族的出身を明らかにする個人情報、②政治的意見、③宗教的または哲学的信念、④労働組合への加入の有無、⑤健康情報、⑥遺伝（ＤＮＡ）情報、生体情報、⑦性生活や性的指向に関する情報、である。これらの情報以外の個人情報はスウェーデンではプライバシーに関する情報ではない。上記の①から⑦以外は、誰でも閲覧できる情報、つまり公開情報なのである。スウェーデンにおいては、秘匿すべき個人情報は本当に限られている。プライバシーに関する個人情報の範囲は国によって異なるが、日本のプライバシーに関する個人情報の範囲はスウェーデンと比べるとはるかに広い。しかし、個人情報が公開されていることと個人情報が悪用されるということは別次元の話である。実際、個人情報を利用した詐欺や犯罪が、日本と比べてスウェーデンで多いということでは決してない。

むしろパーソナルナンバーを取得していないとスウェーデンでの生活は非常に不便なものとなる。銀行口座の開設、携帯電話の新規契約、賃貸住宅の契約、ジムへの入会、病院での診療、税金の支払い、助成金の受け取りなど、様々な契約手続きや社会サービスを利用するためには本人確認のためにパーソナルナンバーが利用されている。パーソナルナンバーを持っていないと契約と名のつくものはなにも結ぶことができない。クレジットカードでの支払いの際に、暗証番号（ピンコード）ではなくてサイン（署名）による決済の場合には、必ずパーソナルナンバーが記されたＩＤカードを提示する必要がある。サイン（署名）する用紙には、署名欄の下にパーソナルナンバーを記入する欄がある。また病院に入院する場合には、日本と同じように入院患者は身元がわかるようにタグを手首につけるのだが、そのタグには名前とパーソナルナンバーが記されており、診察や検査の際には本人確認のために名前とパーソナルナンバーを告げる。日本の病院でも名前と生年月日を告げて本人確認を行うが、同姓同名で同じ誕生日の人である可能性も否定できない。その点、スウェーデンのパーソナルナンバーは個人に割り振られた唯一無二の番号であるので、同姓同名で同じ誕生日の人であっても個人を特定できる。パーソナルナンバーを持っていなくて一番困るのは、おそらく銀行口座を開設することができないことであろう。銀行口座が開設できないと給与の支払いを受けることができない。またキャッシュレス決済が進んでいるスウェーデンで銀行口座を持っていないということは、日々の生活に大きな支障をきたすことを意味する。

パーソナルナンバーには全ての個人情報が紐付けされているので、身分証明書を持っていなくてもパーソナルナンバーで本人確認ができるという意味ではとても便利である。例えば、スウェーデンで車を運転する際には免許証を携帯することがもちろん義務付けされているが、仮に免許証不携帯で警察に停められたとしても問題はない。なぜなら、パーソナルナンバーは本人しか知り得ない番号なので、パーソナルナンバーを照合すれば、その運転者が本人かどうかを確認することができるからである。スウェーデン人に聞いても、パーソナルナンバーによって個人情報が管理されることに不安を覚えるという声を私は聞いたことがない。むしろ、彼らはパーソナルナンバーがあることによる便利さや安心感を感じている。

スウェーデンに初めて住む人がさすが「税金の国スウェーデン」と感じるのは、住民登録を税務署（Skattverket）で行う時であろう。私も初めてスウェーデンに住んだ時に税務署で住民登録を行ったが、何とも言えない不思議な感じがした。日本では住民登録や出生届けは市役所・区役所の市民・区民課が担当しているが、スウェーデンでは住民登録や出生届けは税務署で行う。税務署で、一年以上居住予定の人は住民登録と同時にパーソナルナンバー取得の手続きをする。税務署のホームページには、パーソナルナンバー取得の申し込みから通常4週間以内でパーソナルナンバーが発行されると記されているが、実際にはそれ以上かかる場合がほとんどである。特に最近は移民が増加しているので、パーソナルナンバーを取得するまでの時間がどんどん長くなっている。場合によっては6カ月近くかかる場合もあるようだ。新型コロナウイルス感染症パンデミックの影響で発行までの期間はさらに長くなっているとのことである。

パーソナルナンバーは一旦取得すると、原則として一生、同じ番号を使い続ける。ただし、外国人であってもスウェーデン人であってもスウェーデン以外の国に移る場合には、そのパーソナルナンバーは一旦凍結される。同じ番号が他の人に割り振られることはないので、再びスウェーデンに住む際には税務署で凍結されたパーソナルナンバーの解凍（Activation）手続きをする。私自身が再び２０１７年から２０１９年にかけてスウェーデンに住んだ際にも、１９９０年代にスウェーデンに住んでいた時に割り振られたパーソナルナンバーと同じ番号を利用した。解凍手続きを税務署で行った際に、「手続きが完了し、封書での連絡が届くまでに4週間程度かかる」といわれたが、実際には4日で封書が届き、私のパーソナルナンバーは「解凍」されて再び使えるようになった。

▽日常生活とパーソナルナンバー

ここでパーソナルナンバーに紐付けされた個人情報照会に関する私自身の体験をいくつかご紹介したい。1つ目は私の資産や債務の情報に関するエピソードである。私は1990年代にスウェーデンで住むにあたり、アパートを借りるのではなく購入することにした。当時のスウェーデンはバブル経済が崩壊した影響で、アパートの売り物件の数は豊富で売却価格は1980年末と比べると劇的に下落していた。1980年のバブル崩壊前のピークの価格の半分以下となった物件が多数存在していた。一方、賃貸物件に関しては、賃料が上昇傾向にあったのである。というのもそもそも賃貸物件の数そのものが少ないうえに、バブル経済崩壊で借金返済のために家やアパートを売却した人が賃貸物件に流れたことで、賃貸物件の賃料は上昇傾向にあった。そのような訳でアパートを購入することにしたのだ。購入するアパートを決めてから売買契約書にサインするまでに約2週間待たされた。この2週間の間に仲介業者の不動産会社は私に大きな負債や借金がないかをパーソナルナンバーを照合することによってチェックしていたのである。契約書にサインした後に、私の手元にパーソナルナンバーを管理するSPARから、「不動産会社から不動産購入者の資産状況に関する問い合わせがあったのであなたの資産状況に関する情報を提供した」という手紙と、どのような情報を提供したのかが細かく記された文書が送られてきた。S

ＰＡＲは不動産会社の情報公開の請求に対して必要であると判断して、不動産購入者（この場合は私）の資産や負債に関する情報を不動産会社に提供したのである。ただし、不動産売買に必要だと判断した資産や負債以外の個人情報は不動産会社に提供していないということが文書には記されていた。このようにスウェーデンでは、必要であれば情報を民間企業に提供し、その上でどのような情報を誰に提供したのかを情報の持ち主に正確に知らせているのである。このような手続きはクレジットカードをスウェーデンで作成した際にも経験した。日本では民間の不動産会社なり銀行なりが独自のデータベースで契約者の資格審査を行っているが、それと比べるとパーソナルナンバーに紐付けされたスウェーデンの情報の方がはるかに正確な情報である。顧客に関する正確な情報をサービス提供者が得ることができるということは、質の悪い顧客に騙されてしまうリスクは小さくなる。契約する前に「質の悪い客」を除外することができるので、いわゆる、経済学でいうババをつかんでしまう「逆選択」という状況が起こりにくい。

２つ目のエピソードは健康情報に関するものである。スウェーデン留学中に友人に誘われて病院に献血に行ったことがある。病院で献血をする際にパーソナルナンバーを聞かれたので、自分のパーソナルナンバーを告げた。しばらく受付で待っていると、看護師がやってきて私は献血ができない旨を伝えられた。理由を聞くと、「あなたがスウェーデンに来る前の病歴の記録がないのであなたの血液中にどのような危険因子が存在するかわからない。従って、あなたは献血することができない」とのことであった。それを聞いた私は「至極もっともなこと」で、リスク管理が徹底している国だと感じたのを覚えている。

ここでご紹介したパーソナルナンバーに関する私の少しばかりの経験から感じたことは、スウェーデンで個人情報をパーソナルナンバーに紐付けしているのは、国民を監視することが目的ではなく、国民が安全・安心を実感して生活できる社会を実現・維持するためなのだということである。

日本でもスウェーデンのパーソナルナンバーに相当するマイナンバーカードが2016年から開始され、2022年6月時点の普及率は全国民の5割未満であった。日本国民の半分以上の人がマイナンバーカードを取得していないのである。その理由として、「個人情報が行政や国に管理されるのは危険である」とか、「個人情報の漏洩が心配だ」という理由を挙げており、マイナンバーに関して否定的な反応が少なくない。マイナンバーカードの取得を5割以上の国民が望まないのは、日本国民が政府を信用していない証左であろう。

パーソナルナンバーによって個人の情報が日々アップデートされ管理されていることは、行政サービスを国民に提供する際には非常に有益である。特に非常事態時にはその有効性が大いに発揮される。２０２０年に発生した新型コロナウイルス感染症パンデミックの状況下では、パーソナルナンバーに紐付けされた情報を政府が有していることが、コロナワクチン接種体制の迅速な構築や様々な経済支援策の機動的かつ柔軟な発動を可能とした。さらにはパーソナルナンバーの情報を基に支援対象者を容易に絞ることができるので、補助金の不正受給や補助金の受給資格があるのに受給できない人が発生してしまうようなことは起こりえない。一方、日本の場合には個人に関する情報が統一的に集積・管理されていないので、経済支援を行うにしても対象者を絞ることに膨大な時間とコストが必要となり迅速な対応が困難であった。加えて、日本で行われている経済支援策や社会福祉制度は基本的に申請主義に基づいているので、受給資格がない人が申請したり、受給資格があるにもかかわらず申請しない人がいたりということが発生していた。個人情報が統一的に管理されていないので、申請者が適切な対象者であるかどうかを判断できず、数多くの不正受給や不適格な補助金支給が発生している。スウェーデンの個人情報の統一的管理体制は、新型コロナウイルス感染症パンデミックのような非常事態下で最も効果的に機能するのである。

▽信頼できるスウェーデンの統計

スウェーデンは統計記録を古くから収集し公表している。なんと今から140年以上前の1870年からスウェーデン統計局によって公式の統計年鑑が冊子として公表されている。現在も、スウェーデン統計局のホームページから過去のスウェーデン統計年鑑をダウンロードすることが可能である。統計年鑑の中の統計項目の表記に関しては、スウェーデン語に加えて、1951年まではフランス語、1952年からは英語で併記されている。スウェーデン統計年鑑という形で出版されるのは2014年が最後であるが、それ以降の統計データについてはインターネットで検索可能な形で公表されている。公表されるデータは人口統計などの普遍的な統計データに加えて、その時々のニーズや社会情勢によってデータが収集され公表されている。従って、全ての統計年鑑に全て同じ統計データが掲載されているわけではない。酒類に関するデータを例にこのことをお示ししよう。20世紀初頭にアルコール問題が社会問題化し、アルコール消費量をお酒の配給手帳によって統制しようという議論が行われたことを受けて、1917年のスウェーデン統計年鑑に初めて酒類の消費量に関する統計データが登場した。その際、酒類の消費量に関する統計データは社会統計の一項目として分類された。1917年の統計年鑑には、時期をさかのぼって1856年からの酒類の消費量が掲載されている。つまり、スウェーデン統計局は1856年以降の酒類消費量のデータを持ってはいたが、社会的要請がなかったため１９１７年までは酒類の消費量を公表しなかったということである。アルコールを多飲する人たちが増加し続けて社会問題となったため、１９１９年に酒類配給手帳制度が導入され、酒類の購入者の限定と購入量の制限が開始された。その後、１９５５年に酒類配給手帳制度が廃止され、新たに設立された国営の酒類販売店システムボラーゲット（Systembolaget）で酒類販売が開始される。この酒類販売方法の変化に伴い公表される統計データも変化した。酒類配給手帳（Motbok）の所有率に関する統計データは国営の酒類販売店のシステムボラーゲットによる酒類販売が開始される１９５５年の翌年の１９５６年の統計年鑑に初めて登場する。その際に、１９４６年にまでさかのぼって１９５４年までの酒配給手帳の保有率が記載されている。しかし、酒配給手帳保有率が記載されているのは１９５６年の統計年鑑のみである。

近年、日本政府は「エビデンスに基づく政策立案ＥＢＰＭ（Evidence Based Policy Making, 以下、「ＥＢＰＭ」と記す）が重要であるとして、２０１７年にＥＢＰＭ推進委員会を発足してＥＢＰＭを推進してきた。しかし、ＥＢＰＭを行う上でその基礎となる統計データが日本ではしばしば政府によって恣意的に書き換えられたり、操作されたりしている。２０１８年に発覚した「公共部門での障害者雇用者数の水増し申告」、「労働時間等総合実態調査」における恣意的で中立的でない聞き取り調査、２０１９年に発覚した「毎月勤労統計」での不適切なデータ抽出方法、２０２１年に発覚した国土交通省の統計データ書き換えなど、近年明らかになっただけでも、政府による統計不正の事例は数多く存在する。統計不正の問題は公務員の遵法精神の欠如が根本の要因であり、遵法精神の欠如の最たるものが公共部門での障害者雇用者数の水増し申告問題であろう。日本ではある一定割合の障害者を雇用しなくてはならないと法律で定められている。また公共部門は民間企業よりも率先して障害者を雇用すべきであると規定されているにもかかわらず、ほとんどの中央省庁で障害者雇用の水増しが行われていた。様々な統計データで数多くの不正が長年に渡って行われてきている日本の状況は、日本政府がいかに統計データを軽視しているかを物語っている。不正が発覚した統計データはたまたま世間の知るところとなったに過ぎない。公にはなっていないだけで、統計データの不正はまだまだ存在しているのではないかと考えてしまうのは私だけではないだろう。日本政府はＥＢＰＭを推進しようと唱えているが、一連の統計データの不正問題からは統計データを正確に収集・整理・公表しようという政府の姿勢は全く感じられない。信用できない統計データを基に政策が立案されてもその政策の有効性には疑問符が付くだけである。ひどい場合には、実行された政策が社会にとって悪影響を及ぼすかもしれない。その一例が安倍首相（当時）の裁量労働制に関する国会答弁であろう。２０１３年に行われた恣意的で中立的でない聞き取り調査であった「労働時間等総合実態調査」に基づいて国会答弁が行われたため、国会は混乱し、結局、政府は裁量労働制に関する部分を提出法案から削除せざるを得なくなった。ＥＢＰＭを推進するのであれば、日本政府はまず統計データの信頼性と透明性を高めることに注力しなくてはならない。スウェーデンの統計データに関しては、これまで恣意的な操作が指摘されたり、信頼を欠いてしまうような修正が行われたりすることはなかった。

▽オンブズマン発祥の国

スウェーデンには、「社会の透明性（Transparency）」を高め維持する制度として「オンブズマン（Ombudsman）制度」が存在する。スウェーデン語のオンブズマンは、「代表者、代理人」を意味する。スウェーデンにおけるオンブズマンは、政治任命された市民の権利を保護する行政機関である。スウェーデン以外の国では、政治任命されたものではない自主的なオンブズマンも存在している。現在、スウェーデンには7つのオンブズマンが存在するが、一番古いオンブズマンは、１８０９年のスウェーデンの統治法（憲法）で設置が明文化された「議会オンブズマン（Justitieombudsmannen）」である。世界で初めてオンブズマン制度が憲法に明記されたことが、スウェーデンがオンブズマン制度発祥の国といわれる由縁である。

議会オンブズマンは国会によって任命された人たちで構成されている国の行政機関の一つである。議会オンブズマンは政府組織や役人が法律に従って行動しているかを監視すると同時に、政府や行政に対する国民からの苦情を受け付け、必要であれば国会や行政に対して是正するように勧告する。統治法は１９７４年に全面改正されたが、オンブズマン制度に関しては、引き続き明文化されている。オンブズマンが19世紀初めから２００年以上に渡って憲法に明記されているということは、オンブズマン制度がスウェーデンの国家制度の中でも非常に重要な位置を占めているということを表している。スウェーデンの他には、デンマークやフィンランド等の北欧諸国でオンブズマン制度が憲法で明文化されてはいるが、それ以外の国々でオンブズマン制度を憲法に明記している国はほとんど存在しない。日本においても、自治体レベルでは徐々にオンブズマン制度が浸透しつつあるものの、憲法はもとより国レベルの法律ではオンブズマン制度は明文化されていない。こうしたオンブズマン制度が国家の制度に組み込まれていることが、国民の行政に対する信頼の強さに影響を与えていることは想像に難くない。

スウェーデンでは議会オンブズマンの設立後、様々なオンブズマンが設立されたが、現在は計7つのオンブズマンに集約されている。議会オンブズマンの他に、消費者オンブズマン

(Konsumentombudsmannen)、子供オンブズマン(Barnombudsmannen)、子供と生徒オンブズマン(Barn- och elevombudet)、差別オンブズマン(Diskrimineringsombudsmannen)、メディアオンブズマン(Medieombudsmannen)、の6つのオンブズマンである。各オンブズマンはそれぞれがカバーする領域で、法律で規定されていることが不正なく実行されているかどうかを監視している。全てのオンブズマンのホームページには、不正行為や違法行為を通報するためのサイト、メールアドレス、電話番号が明記されている。市民から寄せられた苦情や告発を受けた場合、オンブズマンは対象となる組織に是正勧告を行っていく。オンブズマン制度はスウェーデン社会に広く浸透しており、個人の権利を犯すような不正行為や違法行為を減らし、社会の透明性を高めることに大きく寄与しているといえる。

▽透明性の高い国　スウェーデン

情報公開の徹底、パーソナルナンバーによる個人情報の管理と利用、オンブズマン制度の運用によって、スウェーデンは高い社会の透明性を実現していることをこれまで紹介してきた。ここでは、スウェーデンの社会の透明性が他の国と比較してどの程度高いのかをみていきたい。

公共部門の腐敗・汚職の程度を示す指数として、世界で最も広く利用されている指数に

「Corruption Perceptions Index（腐敗認識指数）」（以下、「ＣＰＩ」と記す）がある。[3] １９９５年以降、国際ＮＧＯであるトランスペアレンシー・インターナショナル（以下、「ＴＩ」と記す）によってＣＰＩが毎年発表されている。

ＣＰＩはＴＩ以外の国際機関やシンクタンクが発表している様々な指標や指数と、専門家による調査・分析結果を合成して作成されている指数である。初めて、ＣＰＩが発表された１９９５年には対象国は41カ国であったが、年々その数は増加し、２０２１年には１８１カ国にまで増加している。表１-１は、１９９５年から２０２１年の期間で5年ごとの主要国の腐敗認識指数（ＣＰＩ）の値と順位をまとめたものである。[4] ＣＰＩ指数の値は、下限が0、上限が１００である。ＣＰＩの値が大きければ大きいほど、腐敗の程度が低いことを意味している。つまり、「ＣＰＩ＝０」は腐敗の程度が最もひどく社会の透明性が低く、「ＣＰＩ＝１００」は透明性が非常に高く腐敗の程度が非常に低い状況であることを意味している。表から明らかなように、腐敗の程度が最も低い上位10カ国には、スウェーデン、デンマーク、フィンランド、ノルウェー、アイスランドの北欧諸国、ニュージーランド、シンガポール、カナダが名を連ねている。これらの国々は、ＴＩが１９９５年にＣＰＩを発表して以来、おおむね上位10カ国に名を連ねている。ＣＰＩが発表された１９９５年以降、日本は20位前後で推移している。１９９５年以降、最も上位

表１－１　主要国の腐敗認識指数（CPI）

国	1995年（41カ国・地域）		2000年（90カ国・地域）		2005年（159カ国・地域）		2010年（177カ国・地域）		2015年（167カ国・地域）		2020年（180カ国・地域）		2021年（181カ国・地域）	
	スコア	順位	スコア	順位	スコア	順位	スコア	順位	スコア	順位	スコア	順位	スコア	順位
日本	67	20	64	23	73	21	78	17	75	18	74	19	73	18
スウェーデン	88	5	94	3	92	6	92	4	89	3	85	3	85	4
デンマーク	93	2	98	2	95	4	93	1	91	1	88	1	88	1
フィンランド	91	4	100	1	96	2	92	4	90	2	85	3	88	1
ノルウェー	86	10	91	6	89	8	86	10	87	5	84	7	85	4
アイスランド	N.A.	N.A.	91	6	97	1	85	11	79	5	75	17	74	13
フランス	70	18	67	21	75	18	68	25	70	23	69	23	71	22
ドイツ	81	13	76	17	82	16	79	15	91	10	80	9	80	10
イタリア	39	33	46	39	50	40	39	67	44	61	53	52	56	42
オランダ	87	9	89	9	86	11	88	7	87	5	82	8	82	8
スイス	88	8	86	11	91	7	87	8	86	7	85	3	84	7
イギリス	86	12	87	10	86	11	76	20	81	11	77	11	78	11
オーストラリア	88	7	83	13	88	9	87	15	79	13	77	11	73	18
ニュージーランド	96	1	94	3	96	2	93	1	88	4	88	1	88	1
カナダ	88	5	92	5	84	14	89	6	83	9	77	11	74	13
アメリカ	N.A.	N.A.	78	14	76	17	71	22	76	16	67	25	67	27
シンガポール	93	3	91	6	94	5	93	1	85	8	85	3	85	4
中国	22	40	31	63	32	78	35	78	37	83	42	78	42	78
ソマリア	N.A.	N.A.	N.A.	N.A.	21	144	11	178	8	167	12	179	13	178

出所：TI のデータを基に作成。

図１－１　主要国のCPI推移　1995-2021年

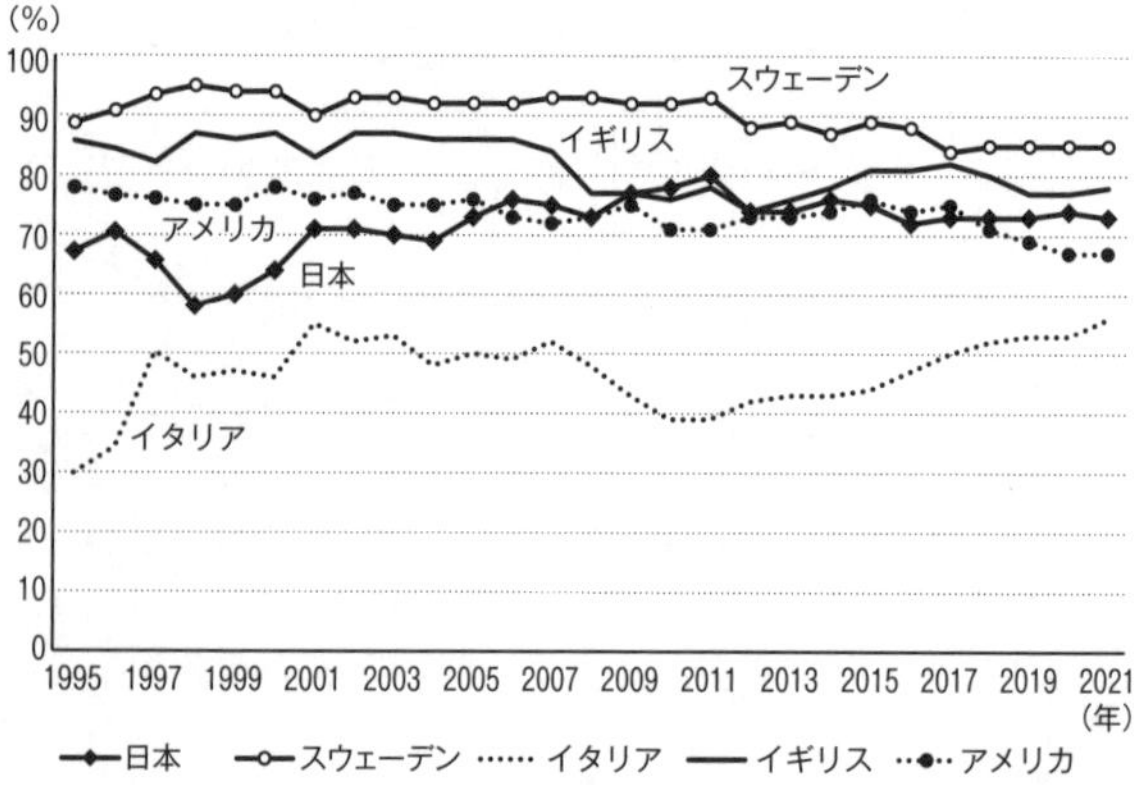

に位置付けられた日本の順位は２０１１年の14位、最も下位に位置付けられたのが１９９８年、１９９９年の25位であった。

図１-１の折れ線グラフは、表１-１の主要ＯＥＣＤ諸国のＣＰＩの推移を１９９５年から２０２１年の期間で描いたものである。ＯＥＣＤはヨーロッパ諸国を中心に日・米を含めた先進国が加盟する「先進国クラブ」と呼ばれる国際機関である。ＯＥＣＤは国際マクロ経済動向、貿易、開発援助、持続可能な開発、ガバナンスといった分野で加盟国間の分析を行う「世界最大のシンクタンク」でもある。図１-１の折れ線グラフからわかるのは、透明性の高い（低い）国は透明性が高い（低い）まま推移しているということである。つまり、主要ＯＥＣＤ諸国のＣＰＩの値は劇的には変化していない。言い換えると、社会の透明性の指標で

あるＣＰＩに影響を与えるような制度上の大きな変更や改革は主要ＯＥＣＤ諸国では起こっていないといえる。日本についていえば、過去25年間以上にわたってＣＰＩ指数に大きな変化はない。

贈収賄行為、汚職、腐敗行為は世界中で禁止されているにもかかわらず、これらの不正行為に関する犯罪は後を絶たない。では個人は犯罪行為に及ぶ境界線をどのように引くのだろうか。ノーベル経済学賞を１９９２年に受賞したベッカーは、違法行為の結果得られる利益・便益が、違法行為に伴う逮捕・罰金等といったコストを上回る場合には個人が犯罪行為に手を染めるということが個人の合理的な選択であることを示した。このベッカーモデルに従えば、違法行為が発覚する確率が高くなればなるほど、また違法行為が発覚した時のコストが重ければ重いほど、違法行為が発生しにくくなる。つまり、不正行為をしてもすぐに発覚してしまう場合、あるいは発覚した時の刑罰や罰金などのペナルティが重い場合には、不正行為を行おうというインセンティブが発生しないということである。しかし、不正行為を行うことによって獲得できると思われる利益や便益そのものが存在しない場合には、不正行為に手を染めようとする人はいないはずである。贈収賄行為などの不正行為によって得られるかもしれない利益を、経済学では「レント」と呼んでいる。レントが存在しないのであれば、レント獲得のために逮捕などのリスクを伴う不正行為を行うインセンティブは生じない。つまり、不正行為が発生する必要条件として、何らかのレントが存在しなければならない。レントが大きければ大きいほどレントを獲得しようとする人が増え、レント獲得のための競争である「レント・シーキング」が発生する。レント・シーキングによって、世の中の富は増加するわけではない。レント・シーキングには、米国におけるロビー活動のように法律で規制された合法的なものもある。ロビー活動は個人や団体が自らの主張を政策や法案に反映させようと政治家らに働きかける活動を言い、米国では禁止されていない。ただし、ロビー活動を行う人（ロビイスト）は議会に登録を行わなくてはならず、その活動内容についても議会へ報告する義務がある。社会の透明性という観点で問題となるのは違法な腐敗・汚職行為を伴うレント・シーキングである。合法的でないレント・シーキングは経済効率性を低下させ、公的機関に対する信用を失墜させる。

では、レントが大きい国とはどのような国であろうか。表1-1から明らかなように、1995年以降のCPIのランキング上位国、いわゆる社会の透明性の高い国はスウェーデン、デンマーク、ノルウェー、フィンランド、オランダ、スイス、ニュージーランド、シンガポールといった、いわゆる「小国」である。これらの国々は、いずれも人口が2000万人に満たない規模の国々であり、GDPの規模という観点でも経済規模は小さい国々である。一方で、いわゆる

「大国」といわれる国々が、1995年以降、CPIのランキングの上位10カ国に名を連ね続けることはなかった。小国か大国かというのは、単に人口規模や経済規模だけの問題ではない。『ブリタニカ』によれば、「大国とは国際関係に影響力を及ぼせるだけの国力を持った国家」と定義されている。他国に影響を及ぼし得るという意味での大国には、経済面での影響力が大きい経済大国、人口規模が大きく市場としての影響力が大きい人口大国、軍事的な影響力が大きい軍事大国、天然資源供給という観点から影響力が大きい資源大国、などが考えられるだろう。経済大国といわれる国には、GDPの規模が大きな米国、中国、日本、人口大国には中国、インド、軍事大国には米国、ロシア、中国、資源大国にはサウジアラビア、オーストラリアなどを挙げることができる。このように、大国を定義する基準によって、該当する国は異なってくる。他の国に影響を及ぼす大国であっても全ての観点から大国に分類されるわけではない。ただし、大国を定義する基準が異なっても、国が大きくなればなるほど市場の歪みに起因する過剰利潤であるレントは大きくなる。その結果、レント獲得を目指すレント・シーキングも盛んになり、不正行為が発生する可能性が高くなる。

次に社会の透明性の指標であるCPIが、国の規模によって影響を受けるのかどうかをみていこう。私は自身の過去の研究で、大国の代理変数として、①GDPの規模、②人口規模、③軍事費、を取り上げ、ＣＰＩとの間に何らかの統計的な関係が存在するか否かを検証した。その結果は、大国の代理変数として選択した①ＧＤＰの規模、②人口規模、③軍事費、とＣＰＩとの間には統計的に有意な負の相関関係は存在しなかった。つまり、①から③の規模が大きくなると（小さくなると）、ＣＰＩの値が小さくなる（大きくなる）という関係が統計学的に成立することを証明することができなかった。このことは、社会の透明性とＧＤＰの規模、社会の透明性と人口規模、社会の透明性と軍事費の規模、との間には統計学的な関係が存在しないことを意味している。言い換えれば、「国の大きさ」に起因するであろうレントの大きさそのものが汚職や腐敗といった不正行為の主たる要因ではないということである。

さらに、レントそのものの源泉である「政府部門の大きさ」とＣＰＩとの関係についても検証を行った。具体的には、「政府部門の大きさ」を表す代理変数として、政府支出の大きさ、政府直接調達による財・サービスの買い入れ額、公共部門の就業労働者数や就業労働者割合、税収規模、などを選び、これらの代理変数とＣＰＩとの間に統計的な関係が存在するかについて検証した。しかし、これらの代理変数のいずれともＣＰＩとの間にも統計学的な関係を見出すことはできなかった。レントの源泉となる「政府部門の大きさ」も、汚職や腐敗といった不正行為の主たる要因ではないことが確認されたのである。つまり、国が大きいか小さいか、政府部門が大きいか小さいか、ということが必ずしも不正行為を引き起こす原因ではないということである。ベッカーモデルに従えば、不正行為による便益が増加（減少）しても、不正行為の発生数は増加（減少）しないということである。そうすると、社会の透明性の指標であるＣＰＩの水準に影響を及ぼすのは不正行為を行うことによって被る不利益ということになる。つまり、ＣＰＩが高いというのは、不正行為が発覚した時のペナルティが著しく厳しいか、不正行為の発見確率が高いかのいずれかということになる。

刑事罰の最大のペナルティは死刑である。不正行為をした際の刑事罰の厳しさに関する国際比較を行った研究は存在しないが、刑事罰に死刑制度があるかどうかについての情報はある。国際人権ＮＧＯであるアムネスティによれば、表1‐1のＣＰＩのランキング上位国で死刑制度を有しているのはシンガポールのみである。つまり、ＣＰＩのランキング上位国は、犯罪に対する刑罰の程度が国際的にそれほど厳しくはないといえる。ただし、社会の透明性が高く治安が安定しているから、犯罪も少なく死刑制度が必要ではないという可能性も否定できない。いずれにしても、刑罰が厳罰であることが不正行為を抑止しているということは考えにくい。これまでの研究でも、刑罰の厳罰化が犯罪の発生を抑制するという統一的な見解は示されていない。

そう考えると、社会の透明性が高い国で不正行為や汚職行為が少ないのは、不正行為や汚職行為が容易に発覚しやすいからだということになる。不正行為の発見確率は、情報公開の程度と不正行為に対するモニタリング（監視）の精度や強度に依存している。情報公開が進めば進むほど、公開されていない情報を基にした不正行為そのものが減少する。また、たとえ不正行為が発生しても情報公開が進んでいれば、不正行為の痕跡は必ずどこかに残っているので不正行為を発見しやすい。また、モニタリング（監視）が厳しければ不正行為を行うことは困難となる。スウェーデンでは情報公開が非常に進んでおり、不正行為に対するモニタリング（監視）の精度や強度も非常に高い。このことがスウェーデンで不正行為が発生しにくい一番の要因であろう。

（1）スウェーデン憲法は、統治法（Regeringsform）、王位継承法（Successionsordning）、出版の自由に関する法律（Tryckfrihetsförordning）および表現の自由に関する基本法（Yttrandefrihetsgrundlag）の4つの基本法により構成されている。

（2）ルーン・アルゴリズムは、ＩＢＭの科学者であったハンス・ピーター・ルーンによって１９５４年に開発されたアルゴリズムで、現在、クレジットカードの番号など様々な識別番号の認証数字として利用されている。

（3）ＣＰＩ以外にも、腐敗や汚職に関する指数や指標は様々な国際機関やシンクタンクから発表されている。例えば、世界銀行の Worldwide Governance Indicators (WGI)、World Economic Forum (WEF) が発表している「Global Competitiveness Report」の中の Corruption Index、Heritage Foundation が発表している「Index of Economic Freedom」の中の Freedom from Corruption などがそうである。腐敗・汚職に関する直接的な指数以外にも、闇取引市場（ブラックマーケット）の規模、といった社会の透明性の代理変数となる指数は存在する。

（4）ＣＰＩの算出方法が２０１２年に変更され、ＣＰＩ指数の取りうる値が変更された。２０１２年以降のＣＰＩの取りうる範囲は、０から１００の範囲であるが、１９９５年から２０１１年までのＣＰＩは0から10の範囲であった。計算方法が異なるので、２０１１年以前のＣＰＩの値と２０１２年以降のＣＰＩの値を単純に比較することはできないが、統一的に概観するために本書では２０１１年以前のＣＰＩの値を10倍して、ＣＰＩの値を０から１００の範囲で表記している。

第二章　税金の流れが見える社会

▽税金が高い国　スウェーデン

スウェーデンは、国民の税負担が先進国の中で最も高い国の一つである。OECDの調査によれば、2020年のスウェーデン政府の税収総額はGDPの42・9%で、OECD諸国の中で3番目にGDP比での国民の税負担が重い国であった。スウェーデンの税収総額は1970年代半ば以降、GDP比40%以上で推移している。過去、国民の税負担が最も重かったのが、1990年のGDP比49%であった。しかしスウェーデンの国民の税負担は1990年をピークにそれ以降は低下傾向にある。一方、日本の税負担は1960年半ば以降一貫して増加傾向にあり、2018年時点ではGDP比で32%であった。この水準は主要先進国の中で米国に次いで2番目に低い水準である。つまり、スウェーデンは先進国の中で最も税負担の重い国の一つであるのに対して、日本は最も税負担の軽い国の一つなのである。

はじめに、間接税についてスウェーデンと日本を比較していこう。代表的な間接税である付加価値税（消費税率、VAT）は、スウェーデンでは現在25％である。スウェーデンの付加価値税は、1969年に導入された。導入当初の税率は11・11％であったが、その後上昇し続け1990年には現在の25％にまで上昇した。日本ではスウェーデンから遅れること20年、1989年に消費税が3％で導入された。数回の引き上げが行われ、2015年に10％へ引き上げられて現在に至っている。消費税率（付加価値税）について、スウェーデンは日本の2倍以上の税率である。

間接税の一つであるアルコールに対する税金についても、スウェーデンの方が日本よりもはるかに高い。スウェーデンの酒税は、アルコール度数が上がると税率も上昇するという原則である。アルコール度数12％のワインを例にとって、スウェーデンと日本を比較してみよう。日本ではアルコール度数に関係なく1リットル当たり90円の酒税が課されるのに対して、スウェーデンでは26・18SEK[1]（約340円、以下全て1SEK＝13円で換算）が課税される。さらに、アルコール度数が15％を超えるワインには1リットル当たり54・79SEK（約712円）の酒税がスウェーデンでは課されている。この酒税に加えて、消費者は購入時に25％の付加価値税（消費税）を支払わなくてはならない。同一のお酒であっても日本で購入するよりもスウェーデンで購入する方がはるかに高い。

スウェーデン人はお酒が大好きである。しかし、スウェーデンはお酒が世界で最も高い国の一つであるため、旅行した際にはここぞとばかりにお酒を飲む。スウェーデン留学時代に友人6人と、ストックホルムからフランスのシャモニーまで車でスキーに行った時のことである。友人の大きなバンを6人が交代しながら運転する片道約2000キロの旅であった。往きは運転担当の3人が前の座席に座り、残りの3人が平らに倒した後部座席でゆったりくつろいで24時間かけて移動した。フランスはスウェーデンに比べてお酒が安く、友人はこれでもかというくらい毎晩お酒を飲んでいた。その当時（おそらく現在も）、フランスなどのスキーリゾート地ではスウェーデン人は酒癖が悪いといわれていた。シャモニーからストックホルムに帰る時になって私以外の友人は、1人2ケース以上のワインを購入した。それを往きにベッド状態にしてゆったり利用した車の後部座席に積み込んだのである。「スウェーデンに比べてフランスはワインがべらぼうに安いから買って帰らない手はない」というのだ。結果、帰りの後部座席に座った3人は、山積みのワインケースで身動きが取れない状態でストックホルムまで戻ってくることになったのである。そこまでして、安いワインを山のように買って持って帰るものなのかと正直あきれたのを覚えている。

スウェーデン人が泥酔する光景は、ストックホルムとヘルシンキとの間を一晩かけて運航する大型客船のシリアラインやバイキングラインの中でもよく見かける。約３０００人と車５００台ぐらいが乗船できる大型客船で、船内にはマクドナルドなどのファーストフードからレストラン、バー、劇場などがある。ストックホルムを夕方5時ぐらいに出向して翌朝9時前にヘルシンキに到着する船の旅である。港を出ると、酒屋とバーが一斉に開店する。海の上では税金がかからないので、お酒が一気に安くなる。ここぞとばかりにスウェーデン人もフィンランド人もお酒を飲み始める。翌朝、少し早い時間に朝食を食べにレストランに行くと、通路の床に酔いつぶれた体の大きなスウェーデン人やフィンランド人がごろごろ転がっているのを何度も見たことがある。まるで大型客船の廊下のあちこちに昼寝中のアザラシが一杯いるような感じであった。普段、お酒が高いからとそんなにお酒を控えていたのかと思うほどだ。

スウェーデンのお酒の販売方法は非常に特徴的だ。社会問題とも関係しているのでご紹介したい。スウェーデンでは国が酒類の販売をコントロールしている。アルコール度数３・５％以上の酒類は国営の酒屋システムボラーゲットでしか購入できず、その営業時間も日本に比べるとはるかに短い。日曜日は営業しておらず、月曜日から金曜日は10時から19時まで、土曜日は10時から15時の間しか酒類を購入できない。１９９０年代末ごろまでは、システムボラーゲットは土曜日には営業していなかった。さらに以前は、酒類を購入する際は、購入したい酒の銘柄と本数をカウンターの奥にいるシステムボラーゲットの店員に伝えて購入するというスタイルであった。現在は日本と同じように、購入したい酒類を自分で棚からピックアップしてレジで購入するスタイルに変わった。しかし現在も変わらないのは、週末に飲むお酒を購入するために金曜日午後になるとシステムボラーゲットが多くの人でごった返していることだ。私などは、システムボラーゲットが混雑しない金曜日以外に酒類を購入したのだが、合理的なスウェーデン人がなぜ混雑する金曜日にわざわざ酒類を購入するのかが当初理解できなかった。その理由を複数のスウェーデン人の友人に尋ねると、皆が口をそろえて「お酒が手元にあると飲んでしまうから」と回答した。お酒があると飲んでしまうのでギリギリまでお酒を購入しないというのは、ある意味合理的なのかもしれない。

▽日本と違う酒税の設定

国営のシステムボラーゲットで酒類の販売は１９５５年に開始されたが、それ以前のお酒の販売は配給手帳での販売であった。お酒の配給手帳による酒類販売は１９１９年に開始された、いわば、酒類の配給システム（Motbokssytemet）である。配給手帳は若者、無職の人、女性には配布されておらず非常に限られた人のみが酒類を購入することができた。お酒の配給手帳による酒類の販売は、主として酒の消費量をコントロールする目的で行われていた。スウェーデンでは19世紀初頭から個人が酒を醸造することが認められていたこともあり、アルコールを多飲する人たちが増加し続けて社会問題となっていた。そのことが、1919年に開始されたお酒の配給手帳による酒類の購入者の限定と購入量の制限が開始された背景である。アルコールに関する統計が初めスウェーデンの統計年鑑に登場するのが1917年であるが、このことも飲酒が社会問題であったことを物語っている。スウェーデン統計局によれば、1954年時点でお酒の配給手帳を持っていたのは全人口の28％のみであった。ただし、25歳以上の人のうち、男性の76・6％がお酒の配給手帳を所有していたのに対して、女性のお酒の配給手帳の所有率は10・7％であった。1955年から始まったシステムボラーゲットの設立以降は、酒税を課して酒類の価格を高くすることによってお酒の消費量をコントロールしている。1955年のシステムボラーゲットの設立以後は、20歳以上（当初は21歳以上であったが、1969年に20歳に引き下げられた）の成人であれば誰でも制限なくお酒を購入することができるようになった。その意味では、酒類購入の自由度は格段に高まったといえる。ちなみに、スウェーデンではシステムボラーゲットでのお酒の購入の年齢制限は20歳以上であるが、レストランなどでの飲酒については18歳以上であればお酒を注文して飲むことができる。

スウェーデン人のお酒事情へと少し脱線してしまったが、税金の話にもどそう。日本と比べると、スウェーデンの課税ルールは非常にシンプルな構造になっている。酒税を例にとれば、スウェーデンの酒税は酒の種類とアルコール度数によって酒税率が決まっている。それに対して、日本の酒税は非常に複雑な構造になっている。ビールに関する酒税を例にとって両国を比較したいと思う。スウェーデンではアルコール度数が2・8%以下であれば、酒税はかからない。アルコール度数2・8%を超えるビールについては、アルコール度数1%ごとに1リットル当たり2・02SEK（約26円）の酒税が課される。つまり、スウェーデンの課税方式を利用して日本の典型的なビールのアルコール度数5%の350ミリリットルのビールの酒税を計算すると、2・02×5%×0・35リットル＝3・54SEK（約46円）となる。一方、日本のビールの酒税は、アルコール度数ではなく原材料の違いによって酒税が異なっている。つまり、350ミリリットルで麦芽比率50%以上のビールが77円、麦芽比率50%未満の発泡酒が46・99円、麦芽以外を主原料にした第三のビールは28円、である。ビールに関する酒税は、スウェーデンよりも日本の方が高い。先ほど、スウェーデンの方が日本よりも酒税が高いと記したが、ビールのようなアルコール度数の低い酒類に関しては必ずしもスウェーデンの酒税が日本のそれよりも高いとはかぎらない。ここで問題にしたいのは、スウェーデンと比較した時に日本の酒税の設定方法には2つの問題があるということである。1つ目は、アルコール度数が同じでも原材料の使用量ごとに酒税が異なるということは、生産者が「低い税率が適用される原材料を用いて生産を行った」という虚偽の申告をする可能性があるという問題である。しかし、製造・販売されているビールが申告通りの原材料を用いているのかどうかを確かめることが容易ではない。そうであるとすると、全ての人が同じように税を負担すべきだという税負担の公平性が必ずしも保証されない可能性がある。2つ目は、実際に日本で起こっていることであるが、税制、ひいては政府に対する信頼が損なわれてしまう可能性があるという問題である。生産者は3つの異なるカテゴリーのビールに異なる酒税が課されていることを前提に、企業努力によって発泡酒と第三のビールを開発し、消費者に安いビールを提供してきた。しかし、財務省は発泡酒と第3のビールの販売が好調なのをみて、発泡酒と第三のビールの酒税を上げた。さらに最終的に2026年には3つのカテゴリーを廃止して一つの税率にすることを決定した。これはまさに、酒税のカテゴリーを前提に酒税の低いビールを新たに開発・提供してきた企業努力を無にするルール変更である。ゲームのルールを頻繁に変更するようでは、新たな商品やサービスを開発しようという企業のインセンティブを削ぐことになるし、ひいては政府に対する信頼の低下を引き起こしてしまう。

次に代表的な直接税である所得税について、スウェーデンと日本を比較していこう。現在のスウェーデンの最高限界税率は52％であるのに対して、日本の最高限界税率は45％である。スウェーデンで最高限界税率52％が適用されるのは53万7200SEK（約700万円）以上の所得であるのに対して、日本の最高限界税率40％が適用される所得は4000万円以上である。7 00万円相当の所得に対する日本の限界税率は20％である。これだけをみても、スウェーデンの所得税が日本と比べていかに高いかがわかる。

▽透明性の高い納税システム

次に個人の所得税の納税の仕方についてスウェーデンと日本の違いをみていこう。スウェーデンでは全ての国民が自分で確定申告を行わなくてはならない。毎年5月初旬が確定申告の最終日である。前年の所得に関する所得税申告書が3月中旬から4月中旬にかけて税務署から届く。電子文書での所得税申告書の受け取りを希望する人は2月末にその旨を税務署に連絡すると、紙の所得税申告書ではなく電子ファイルで所得税申告書が送られてくる。送られてくる所得税申告書には、前年の1月1日から12月31日までの給与、受け取った利子、年金などどれだけの収入を獲得したかが印字されている。その金額を基礎に、所得税額、年金保険料、源泉徴収された税金なども印字されている。所得、利子、年金等の情報を把握したうえで納税額が印字された所得税申告書が税務署から送られてくるのは、スウェーデンではパーソナルナンバーで税務署が給与、資産などの情報を管理されているからである。送られてきた所得税申告書をチェックし、修正がなければ、スマートフォンのアプリ、携帯電話のショートメール、電話、インターネットのいずれかで「承認」の手続きを行う。私の友人をはじめ多くの人は、送られてきた確定申告用の所得税申告書をそのままは「承認」することはなかった。合法的に納税額を少しでも少なくできるように、経費として計上できるものがあるかどうかなどを探して納税額を修正して確定申告書を提出していた。そのこともあって、税金の専門家以外の一般の人に関してはスウェーデン人の方が納税の仕組みや税金についてよく勉強しているという印象を私は持っている。

私がスウェーデンに住んでいた1990年代には、前年の所得に関する所得税申告書は3月中旬から4月中旬にかけて税務署から紙の所得税申告書で送られてきた。送られてきた所得税申告書をチェックしサインをして税務署に返送するか、あるいは税務署の建物の前にある所得税申告書提出専用のポストに直接投函する。その当時は、申告最終日はちょっとしたお祭り騒ぎであった。わざわざ提出期限ぎりぎりの日付が変わる直前に税務署の所得税申告書提出専用のポストに投函した人が大勢いた。真夜中にビールを片手に所得税申告書を提出する人たちの写真が翌日の新聞の一面を飾ったりした。

日本では多くの給与所得者は源泉徴収と年末調整によって所得税の納付が完了し、確定申告を行う給与所得者はごく少数である。国税庁が公開しているデータによると、２０２０年度の日本の民間の給与所得者は５２４５万人、そのうち、４４５２万人が源泉徴収によって所得税を納税している。つまり、84・９％の人が確定申告を行わず源泉徴収と年末調整によって所得税の納税を完了している。民間の給与所得者の15・１％、７人に１人しか確定申告を行っていないのである。給与所得者は源泉徴収によって所得税を徴収されているので、自分がどのくらいの所得税を納めたのかを把握している人は非常に少ないのではないだろうか。確定申告をしている人は少なくとも年に一度は税金について考える機会がある。自分が納めた所得税を気にかけていなければ、納めた税金の使われ方や税金の使い方を決める政治に対しても関心が低くなってしまうのである。

スウェーデンでは、徴収される税金が多いうえに全ての国民が確定申告をするので、自分たちが納めた税金の使われ方に対する関心が非常に高い。当然の帰結として、スウェーデン人の政治に対する関心は高く、多くの人が自分たちの納めた税金で活動している政治家がどのように行動しているかを厳しい目で監視している。

個人の所得税の納税方法が確定申告か源泉徴収であるのかの違いに加えて、日本とスウェーデンとでは課税に対する考え方が大きく異なる。日本では、基礎控除、配偶者控除、扶養控除、生命保険料控除など15種類もの控除項目によって課税所得を小さくしたうえで所得税額を計算して納税する方式がとられている。一方、スウェーデンには日本のような控除項目は存在しない。確定申告で納税する際には、「経費」という形で課税所得を多少減らすことはできても、日本のように様々な控除項目によって課税所得を大幅に縮小することはできない。スウェーデンでは控除項目によって課税所得を小さくして納税するのではなく、総所得をベースに一旦税金を納める。その後、個々人の置かれた状況によって「○○手当」「○○補助金」という形で現金支給が行われる。16歳未満の子供がいる場合を例にとると、日本では子供が1人いるごとに38万円の扶養控除により課税所得を低くしたうえで納税する。スウェーデンの場合には、扶養控除というものがないので子供の有無で課税所得や納税額が変わることはない。ただし、子供1人に対して毎月1250SEK（約1万6000円）が支給される。日本と比較すると、スウェーデンの方が納めた税金がどのように使われているのかがわかるようになっている。日本では「控除」という形で課税所得を低くして納税している上に、確定申告ではなく源泉徴収と年末調整によって税金を納めているので、納税者は自分がどのくらいの税金を負担しているかが非常に見えにくい状況になっている。日本の納税の仕組みは、税金そのものに国民の目が向きにくい制度となっている。それに対して、スウェーデンでは税金の納付およびその使い方を「国民の目に見える形で」で国民に示す制度といえる。言い換えると、税負担と受益との関係が見えやすい構造になっているのである。

個人に対する様々な補助金や助成金の支給のプロセスについても日本とスウェーデンとでは大きく異なる。日本では、補助金や助成金を受給するためには自分で申請しなければならない。そうでないと補助金や助成金を受け取ることができない申請主義である。申請主義の問題点は、本来補助金や助成金の対象者でない人が申請して補助金や助成金を受給してしまったり、自分が対象者であることを知らずに申請を行わないために補助金や助成金を受給できなかったりする人が出てきてしまうことである。一方、スウェーデンでは多くの場合、補助金や助成金の対象者は自ら申請する必要はない。子供手当などの補助金や助成金は該当する世帯や親に対して自動的に支払われる。これは、スウェーデンではパーソナルナンバーによって個人の情報が管理されているから可能なのである。日本のように対象者でない人に補助金や助成金を支給してしまったり、対象者である人に支給しそこなったりということは起こらない。また個人情報がデータベース化されているので、補助金や助成金の該当者を選別するのが日本よりもスウェーデンの方がはるかに早く、支給に至るまでの時間も短い。スウェーデンの補助金や助成金に支給は日本と比べてはるかにフェアであるといえる。

スウェーデンではパーソナルナンバーによって個人のお金の出入りを管理しているので、課税所得の捕捉率は非常に高い。日本でよくいわれる、給与所得者は約9割（10割）、自営業者が6割（5割）、農業・林業・水産業従事者が4割（3割）しか課税所得を税務署が把握できていないという状況、いわゆるクロヨン（9・6・4）とかトーゴーサン（10・5・3）といわれる状況は決して起こらない。パーソナルナンバーに加えて、スウェーデンには自営業者や農業・林業・水産業従事者が所得を隠蔽できないような様々な仕掛けが存在する。例えば、現在のスウェーデンの小売店やレストランなどでは、代金支払いのためのレジスター（現金での決済の時に利用される機械）の設置が義務付けられている。レジスターはオンラインで税務署とつながっており、お金の出入りが逐一税務署に記録されている。しかし、店側が客からの受取金額をレジスターに打ち込まず、支払われた現金をポケットに入れてしまえば現金払いによる売り上げをごまかすことが可能である。そのため、税務署の調査官が定期的に覆面調査を行っている。ストックホルムでレストランを経営する友人の話であるが、2人組で客として来店し、他の客がある程度はけた後に、レジの中の現金をチェックし、現金払いの売り上げにごまかしがないかをチェックされたことが何度もあると言っていた。また以前よりも、現金ではなく、デビットカード、クレジットカード、あるいは銀行口座（番号）と携帯電話番号が紐付けされたスマートフォンのアプリの「Ｓｗｉｓｈ（スウィッシュ）」で支払いをするお客が増えていることもあり、小売店やレストランでは売り上げを過少申告することがどんどん困難になってきている。売り上げを過少申告して納税対象所得を小さく見せるということができないのであれば、現金以外での決済の方が現金を数えたりお釣りのための小銭を用意したりする手間が省けるので小売店やレストランも現金以外の支払いを選択するようになる。実際、スウェーデンでは現金での決済を拒否する店舗がどんどん増えている。(2)現金以外の決済は、記録として全て残るので店舗は売り上げをごまかすことはできない。つまり、店舗を経営する自営業者の課税所得の捕捉率が日本のように6割、5割などということは起こり得ない。また本書では詳しく記さないが、日本の小規模事業者に認められている消費税納入義務の免除によって、消費者が負担した消費税が事業者の利益となる「益税」のような特例もスウェーデンには存在しない。納めるべき税金は全ての国民が納めるべきであるという考えのもと、スウェーデンでは全ての国民に「公平」に課税しているのである。

▽税金をごまかせないキャッシュレス決済

国民がごまかすことなく税金を納めることに大きく寄与しているのがキャッシュレス決済である。スウェーデンでは、現金を利用して買い物をする人の割合が激減している。スウェーデン中央銀行によれば、日常の買い物での支払いに現金を利用する人の割合は２０１０年に39％であったのが、２０２０年には９％にまで減少している。現在、現金は主に少額の支払いにのみに使用されている。また、現金での支払いの主な利用者は65歳以上の高齢者である。スウェーデン中央銀行のレポートでは、直近の１カ月に現金を使用したと回答した割合は、２０１８年には61％であったのが、２０２０年には50％まで減少している。

２０２０年のデータで、店舗で商品やサービスの代金を現金で支払った割合は65歳以上で13％、それ以外の年齢層では６～７％であった。このことを反映するように、現金による支払い機会が減少することに最も否定的なのが65歳以上の高齢者である。逆に、若い世代になればなるほど、現金支払いの機会が減少することを問題と感じていない。

日本銀行の調査によれば、日本における現金（紙幣と貨幣）の流通残高の対名目ＧＤＰ比率は、２０１５年で19・４％と先進諸国の中で突出して高い。一方、スウェーデンは１・７％と日本の約11分の１の水準である。つまり、市場で流通している現金の量が先進国の中で日本が最も

図２－１　直近の支払いで現金を利用した人の割合

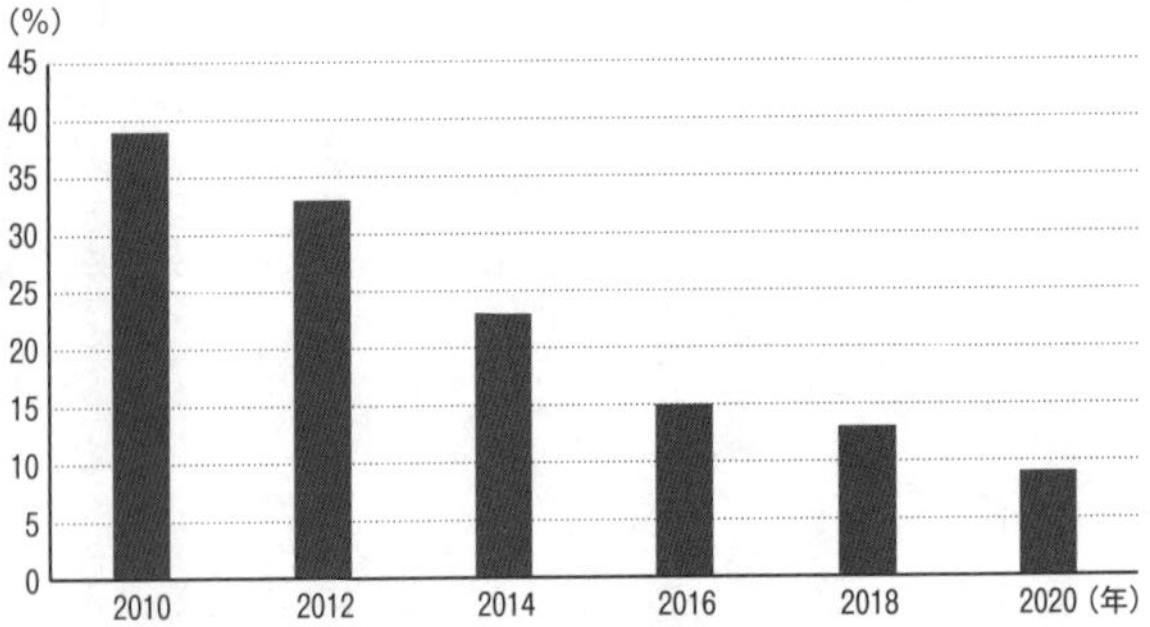

出所：スウェーデン中央銀行のデータを基に作成。

多く、スウェーデンが最も少ないということである。言い換えると、日常生活で日本人は現金を先進国の中で最も多く利用しているのに対して、スウェーデン人は日常生活で先進国の中で最も少ない額の現金しか使っていないということである。

スウェーデンにはＳｗｉｓｈというスウェーデン独自の決済システムがある。Ｓｗｉｓｈはスウェーデンの６大銀行（Danske Bank、Handelsbanken、Länsförsäkringar、Nordea、SEB、Swedbank）が協力して、開発した決済システムである。Ｓｗｉｓｈはスマートフォンに専用のアプリをダウンロードして、スマートフォンの電話番号とスマートフォンの所有者の銀行口座を紐付けて、スマートフォンを使って資金のやり取りを行うシステムである。つまり、スマートフォンと銀行口座が紐付けされているので、支払う相手のスマートフォンの電話番号と支払う金額を入力すれば相手に送金ができるのである。また、Ｓｗｉｓｈはスウェーデンの主要銀行が共同で開発しているので、送金相手と自分の銀行口座のある銀行が異なっていても支払いの際に手数料はかからない。Ｓｗｉｓｈは、個人間のお金のやり取りを主たる目的に当初開発されたが、現在では店舗での代金の支払い等広く人々のお金の支払いに利用されている。２０１２年のＳｗｉｓｈの開始以来、Ｓｗｉｓｈの利用者数は増加し続けており、現在はスウェーデンの全人口約１０００万人のうち、８００万人以上がＳｗｉｓｈを利用している。２０２０年に発生した新型コロナウイルス感染症パンデミックは、スウェーデンでの現金による支払いをますます減少させ、Ｓｗｉｓｈや非接触型のカードの普及に拍車をかけた。特にＳｗｉｓｈの利用が急増したのが、高齢者である。２０２０年4月にＳｗｉｓｈを利用した65歳以上の高齢者は対前年比で70％以上も増加した。パンデミックの状況下で、高齢者は外出せず自宅に留まっていたため、彼らのためめに家族や友人が食料などの日用必需品を購入し届けた。その代金の支払いのため、高齢者のＳｗｉｓｈ利用者数が急増したのである。

余談だが、ストックホルムの中心街にはホームレスがいて小銭が少し入ったコップを手にお金を恵んでほしいと声をかけられることがよくある。ここ数年、小銭は持っていないのでとホームレスに告げると、ポケットからスマートフォンを出してＳｗｉｓｈでお金を恵んでほしいと私に言うのである。Ｓｗｉｓｈを使うには、スマートフォンはもちろんのこと銀行口座を持っていなくてはならない。銀行口座を開くにはパーソナルナンバーが必要である。パーソナルナンバーがあり生活に困窮していれば、生活保護をはじめとした様々な社会福祉サービスを受けることができる。そう考えると、スマートフォンでの支払いを要求したホームレスが持っていたスマートフォンも銀行口座も本人のものではなく、ホームレスを取り仕切っているブローカーのものではないかと思われる。いずれにしてもスウェーデンのキャッシュレス化がここまで進んでいるのかと驚いた。

現金を利用する人が減少している状況で、スウェーデンでは銀行窓口で口座への現金の預け入れや引き出しの業務を全く取り扱わない銀行が増加している。口座への現金の預け入れや引き出しをしたい人はＡＴＭでそれを行うのである。しかしスウェーデンには、硬貨の預け入れが可能なＡＴＭが多くは存在していない。そのようなこともあり、現金での支払いを拒否する店舗や、硬貨や特定の紙幣（例えば、最も高額紙幣である１０００ＳＥＫ札）の受け取りを拒否する店舗がどんどん増えている。

しかし、人々が現金ではなくキャッシュレス決済にあまりに依存し過ぎてしまうと、電力やインターネットに何らかの障害が発生するような事態が起こってしまった際に、決済が行えなくなってしまうリスクは存在する。また、デジタルテクノロジーにアクセスできない人や、他の理由でキャッシュレス決済を使用するのが困難だと感じる人も一定数いる。スウェーデンは世界で最も急速に社会全体でデジタル化が進んでいるが、決済市場が円滑に機能するためには、キャッシュレス決済以外の現金決済がある程度可能であることが重要であろう。

これまでご紹介した税金に関することをまとめると、スウェーデンの税制の特徴的な点は、課税ルールがシンプルな構造であること、税負担は重いものの納めた税金を国民に見える形で還付・使用していること、パーソナルナンバーやキャッシュレス決済の推進によって課税所得の捕捉率が高いこと、言い換えると全ての国民が納めるべき税金をごまかすことなく納める仕組みが構築されていて国民全員に公平に課税していること、である。

▽税金の透明性とコミットメント

スウェーデンでは国民が納税の義務を平等に果たすように様々な仕組みやルールを構築している一方で、徴収し過ぎた税金や返金すべき保険料についてはしっかりと返金するというのもスウェーデンである。私が２０００年代初頭に日本に帰国する際に税務署に転出届（帰国届）を提出した時の話である。税務署の窓口でこれまで私が払い込んだ年金保険料について尋ねられ、次の2つの選択肢を提示された。それは、①これまで払い込んだ年金保険料に利回り分を付けて返金して年金口座を清算するか、②これまで払い込んだ年金保険料を返却せずに年金口座を維持するか、の2つの選択肢で、そのいずれを選択するかと聞かれたのである。それまで払い込んだ年金の保険料に利回りをつけて返金されることに私は非常に驚いた。日本に滞在する外国人が年金受給資格を獲得する前に日本を離れる場合、払い込んだ年金保険料が返金されることはされるのだが、その返金額は最大でも払い込んだ保険料の50%にも満たない額である。それも、返金されることを知った上で申請をする必要がある。スウェーデンの場合にはパーソナルナンバーで個人の情報が紐付けされているので、税務署で転出届を出すだけで転出に伴う手続きがその場で完了する。日本と比較すると、スウェーデンの方がはるかにフェアな対応であるといえる。私は結局、年金口座を維持することを選択したが、さらに驚いたのは日本に帰国してからである。毎年私の年金口座に関する情報が封書で日本まで送られてくるのである。そこには、私の年金口座の残高が前年と比べてどのぐらい変動したのか、将来受け取る年金額が年金受給開始年齢と経済成長率によってどのような水準になるのかが記載されている。私は日本に帰国してしまったので、新たに年金保険料を払い込んでいないため元本は増えないが、それでも公的年金ファンドの運用によって増減した分が前年比で示されている。帰国して20年近くなるが、幸い年金口座の総額が減額したことはこれまでなかった。ちなみに、私が65歳になるとスウェーデンの年金を受給することができる。日本でも年金口座の情報が記載された「ねんきん特別便」が送られてくるようになったが、そこには加入年月、払い込んだ年金保険料の総額、年金保険料計算の基礎となった標準報酬月額が記載されているのみである。将来受け取る年金受給額が年金受給開始年齢によってどのように異なるのかなどについては示されていない。日本の場合、あえて将来の年金受給額を示していないのであろう。スウェーデンと日本を比較すると、将来どれだけの年金を支給するかについて、スウェーデン政府は国民に明らかにし、国民にコミットしている。日本政府が年金支給額を示さないのはその提示額にコミットできないからであろう。実際、厚生労働省の試算による年金支給額は毎年大きく変動する。これでは日本国民は将来どの程度の年金を受給できるのか確信できないし、たとえ年金支給額が試算され提示されたとしても信じることはなかなか難しい。スウェーデンは国民に対して提示した年金支給額にコミットしているし、国民はそれを信じている。さらに提示される最低年金支給額も老後の生活が十分維持できる水準である。スウェーデンでは2019年に日本で問題になった「老後資金2000万円問題」などは起こりえない。スウェーデン人の老後に対する資金的な不安は日本人よりもはるかに小さいので、スウェーデン人は貯蓄よりも消費にお金を回している。日本人と比べるとスウェーデンの貯蓄額は驚くほど少ない。しかし、このことは経済活動を活発にするという意味でも大変重要なことである。日本人は政府への信頼が低く、老後を含めた将来に対する不安があるため、消費を抑えて貯蓄する傾向がどんどん強くなっている。たとえ日本政府が景気刺激策として様々な補助金を国民に支給してもそのお金は消費には回らず貯蓄されてしまっているのが現状だ。実際、コロナ禍の２０２０年に全国民に一律10万円の特別定額給付金が支給されたが、様々な調査結果によると、多くが貯蓄に回り、消費に回ったお金は限定的であった。年金に限らず、スウェーデンと日本とでは、政府が行っている政策の透明性と政策を堅実に遂行するという国民に対するコミットメントが格段に異なる。そのことが、スウェーデン国民と日本国民の自国政府に対する信頼の厚さの差となっているのである。

▽無駄を省くスウェーデンの医療

以下では、スウェーデンの税金の支出（歳出）面に目を向けてみたい。特に医療費を例にスウェーデンで税金の支出をいかに低く抑えようとしているのかを、私の実体験を紹介する形でお示ししたい。

ＯＥＣＤ諸国のいずれの国も高齢化によって医療費が増加し続けている。特に日本の医療費の増加傾向はＯＥＣＤ諸国の中でも突出している。厚生労働省によれば、２０１９年の国民医療費の６割以上が65歳以上の高齢者の医療費であった。今後高齢化がさらに進むと、医療費はさらに増加していくことになる。高齢化による医療費が増大するきっかけとなったのが、１９７３年に70歳以上高齢者の医療費が無料化されたことである。厚生労働省によると、１９７０年と比較して１９７５年の70歳以上の受療率が約２倍に増加した。この頃から、病院の待合室が高齢者の集会所のようになったといわれている。つまり、特に緊急でもないのにもかかわらず病院に行って受診する高齢者が増加したことである。実際、近所の小規模の病院に行った時にこのことを私自身が痛感したことがある。診療所の待合室には多くの高齢者がいて、どうやらみな知り合いらしかった。彼らの会話の中で、「○○さんが今日は来ないけど病気かしら」と誰かが言っているのを聞いた時に非常に驚いたのを覚えている。診療所や病院は、体調が悪かったり病気だと疑われたりするから訪問するのであって、健康であれば行かないところであるはずだ。それにもかかわらず、診療所の待合室で「今日来ないのは病気かしら」という発言が出ることに大きな違和感を覚えた。と同時に日本の医療費の増加は、病気がちな高齢者が増加していることだけが原因ではないと感じた。高齢者の医療費の自己負担割合は１９７３年にゼロとなったが、その後２００１年には１割、２００８年には所得に応じてではあるが最大３割にまで引き上げられた。医療費の自己負担率が引き上げられるたびに、高齢者の医療機関での外来受診率は一時的に下落している。高齢者の医療費自己負担率が上昇する度に高齢者の医療機関での外来受診率が減少するのは、必ずしも必要に迫られて医療機関で受診をしていない人が少なからずいることを物語っている。高齢化によって治療が本当に必要な高齢者が今後さらに増加していくことが予想されるのに、医療費を抑制しようとする抜本的な改革が日本では行われていないと個人的には強く感じている。

スウェーデンでは医療費の削減をいかにして行っているのか、いい意味で費用をかけていないのかを私の実体験を紹介する形でお示ししたい。2000年前後で私が30代のころの話である。スウェーデンでスキーに行き、雪面の凹凸がよく見えずに夕方に転倒して鎖骨を骨折したことがあった。一緒にスキーに行った友人が救急車を呼ぶために日本の119番に相当する番号に電話したら、救急車ではなくタクシーで病院まで来るように指示された。特に生死にかかわるような状況ではないと判断されたためタクシーで病院まで来るようにいわれたのだと思った。スキー場から最も近い病院までは約100キロはあると告げられた時に、タクシー代はかなり高額になると私は覚悟した。病院についてタクシー代金を支払おうとしたらタクシーの運転手は代金を払う必要がないと言って、病院の受付でタクシーの代金を受け取って帰っていった。病院の窓口で聞くと、救急車の代わりにタクシーを利用したのでタクシー代金は医療保険で支払われるとのことであった。私はタクシー代金を負担しなくてよかったのである。レントゲン撮影をし着脱可能なギブスを装着して応急処置は終了した。病院で会計を済ませた際に、骨折箇所を撮影したレントゲン写真とタクシーチケットを手渡された。病院の会計係からは、その日の診察はあくまで応急処置なので自宅のあるストックホルムに戻ったらレントゲン写真を持って近くの病院に行くようにと告げられた。タクシーチケットについては、宿泊しているホテルに帰るためのタクシー料金支払い用であるといわれた。つまり、帰りの交通費も医療保険でカバーしてくれたのである。翌日にストックホルムに戻り、レントゲン写真を持って市内の病院に行ったが、特に追加の検査などすることはなかった。その後、着脱可能なギブスを4週間装着し、再度病院に行くこともなかった。スウェーデンで鎖骨を骨折した4～5年前に、反対側の鎖骨を日本で骨折したことがあった。その時には、着脱可能なギブスを8週間装着し2週間に一度、病院に検診に行くことが求められた。スウェーデンで鎖骨を骨折した時に感じたのは、日本の医療はスウェーデンと比べて過度な治療、良く言えば、丁寧すぎる治療を行うから医療費が嵩むのだなあということであった。

もう一つの私の体験は、肩の脱臼の外科手術をした時のことである。手術をしたのは鎖骨を骨折してから数年後のことであった。その当時、同じ術式の手術を日本で行っていたら2週間から3週間程度入院するのが一般的であった。現在の肩の脱臼は内視鏡で手術を行うことも多いようなので入院期間も随分短縮されたようであるが、それでも4～5日は入院するのが日本では一般的である。スウェーデンでの私の肩の手術では病院に1泊しかしなかった。手術当日は、薬局で販売されている「消毒液をしみ込ませたスポンジ」で体を洗ってから14時に病院に来るようにいわれた。病院に着くとすぐ手術着に着替えて全身麻酔をし、14時半ごろには手術が始まった。約3時間の手術の後、病室に戻ってきたのが18時ごろだったと思う。病室に戻った時に看護師から翌日の12時までは病室にいても良いと告げれらた。しかし、翌朝7時ごろ看護師が病室までやって来て、急患が入ったので8時までには退院するようにいわれた。病室には14時間しかいなかったのである。退院時にはやはりタクシーチケットが渡され、病院から自宅まではタクシーで帰宅した。ただ、手術後24時間も経過していないので、タクシーの乗り降りの際も傷口が痛くて体中脂汗をかきながら帰宅したのを覚えている。事前に病院からは1泊で退院することは知らされていたので、手術後に飲む鎮痛剤等は購入してあった。特に、肩を動かさないようにとだけいわれただけで、あとは自宅療養であった。退院後2週間後に抜糸のため再度病院に行ったが、その後、術後の観察やチェックのために病院に行くことはなかった。

　これらの私の数少ない体験からでもスウェーデンでは治療にかける費用を日本と比べていかに小さく抑えようしているかが読者の皆さんにも容易に想像できるだろう。ちなみに、スウェーデンでの医療費の自己負担は、日本のように3割ではなく、基本的には無料である。正確に記せば、外来受診の年間自己負担限度額は1150SEK（約1万5000円）、入院治療は1日100SEK（約1300円）である。日本の過剰な（丁寧な）診療や治療に慣れてしまった人には、スウェーデンの医療サービスは、大雑把すぎると感じるかもしれない。しかし、私自身はスウェーデンの医療コストに対する姿勢は今後日本が見習わなくてはならないものだと感じている。「安かろう悪かろう」ということでスウェーデンの医療サービスの質が低いのならともかく、スウェーデンの医療サービスは世界の最先端を走っている。実際、私が体験したスウェーデンでの大雑把（?）な治療によって、私自身は特に不都合を感じなかった。

　スウェーデンではとにかく過剰な治療や過度な入院を最小限に止めて、医療費を低く抑えようとしている。病院に入院させるよりも、タクシーで帰宅させて自宅療養させた方がはるかに費用は安くなる。病院のベッドはそれを本当に必要としている人が使うべきであるというのがスウェーデンでの考え方である。出産に関しても、日本よりもスウェーデンの方がはるかに短期間で退院する。普通分娩で母子ともに健康である場合、産後の入院期間はスウェーデンでは長くても3日であるのに対して、日本では平均6日間である。

薬についても、新薬（先発医薬品）ではなくジェネリック医薬品（後発医薬品）を利用することがスウェーデンでは義務化されている。ジェネリック医薬品ではなく先発医薬品を使用・処方するためには、医師は理由書を作成しなくてはならない。一方、日本の医療機関には、安価なジェネリック医薬品ではなく先発医薬品を処方して収入を増加させるインセンティブがある。医療機関は患者に処方した医薬品代を国が定めた公定価格で請求する一方、医薬品は割引価格で医療機関には納入されている。公定価格と割引された納入価格の差がいわゆる「薬価差益」である。つまり、先発医薬品の方が安価なジェネリック医薬よりも薬価差益が大きいので、先発医薬品を処方した方が病院の収益は大きくなる。必要以上の先発医薬品を処方することによって薬価差益で収入増をもくろむ医療機関が多数存在することも、日本で医療費が膨張している原因の一つである。

スウェーデンでは個人が負担する処方箋の薬代の年間上限額（Högkostnadsskydd）も決まっている。この上限額を超える薬代に関しては、購入者は負担する必要がなく、国が全て負担してくれる。2021年の年間上限額は2350SEK（約3万円）であった。薬を購入する購入者が既に支払った年間の薬代を把握している必要はない。なぜなら、パーソナルナンバーにはその購入者が過去に支払った医療費や薬代の情報が紐付けされているので、薬局が購入者のパーソナルナンバーからそれまで支払った薬代が限度額を超えているかどうかを確認できるからである。既にその購入者が限度額を超えて薬代を負担している場合には、その個人は薬局で代金を支払う必要がない。日本にも医療機関や薬局の窓口で支払う医療費が上限額（限度額）を超えた場合、その超えた額は患者が負担しなくて済む「高額療養費制度」がある。しかし、事前に治療することがわかっていなければ、この制度は基本的には患者が一旦総額を負担し、その後、還付の申請を行って上限額を超えた金額を還付してもらうという制度である。日本との比較で、スウェーデンの制度の優れている点は、日本の制度のような「申請主義」ではない点に加えて、個人が一時的にでも上限額を超えた金額を負担する必要がない点である。ここにも個人情報をパーソナルナンバーに紐付けしている利点がある。

以上みてきたように、スウェーデンは税金が非常に高い国である。国民全員がごまかすことなく税金を納める仕組みが構築され、税金の無駄な支出は極力抑えられている。政治に関してもスウェーデンはフェアな国なのである。この点を第3章でみていこう。

（1）SEK＝スウェーデンクローナ
（2）スウェーデンでは現金で支払いをする人が減少し続けており、キャッシュレス決済が支払いの中心となっている。その結果、窓口で現金を取り扱う銀行がどんどん減っている。従って、おつりのための硬貨を準備することが、お店にとって大きな手間とコストとなっている。

第三章 ―― 国民が参画する政治

▽政治への関心が高い国スウェーデン

スウェーデン国民は税金の負担が重いが故に、税金の徴収の仕方や税金の使い方が適正であるかに非常に敏感であり、税金の使い方を決める政治が不正なく行われているかを常に注意深く見守っている。このことを端的に表しているのが、選挙での投票率である。以下では、スウェーデンと日本の国政選挙の投票率を比較する。スウェーデンの国会は一院制である。日本の国会は二院制であるが、戦後の参議院選挙の投票率は総じて衆議院選挙の投票率よりも低く推移しているので、日本については衆議院選挙の投票率についてみていく。図3-1は第二次世界大戦後のスウェーデンの国政選挙と日本の衆議院議員選挙の投票率の推移をプロットしたものである。

図3-1が示しているように、第二次世界大戦後の日本の衆議院選挙の投票率は、1990年までは7割前後で推移していたが、それ以降は投票率が7割を超えることはなかった。戦後の日

図３－１　国政選挙投票率の推移

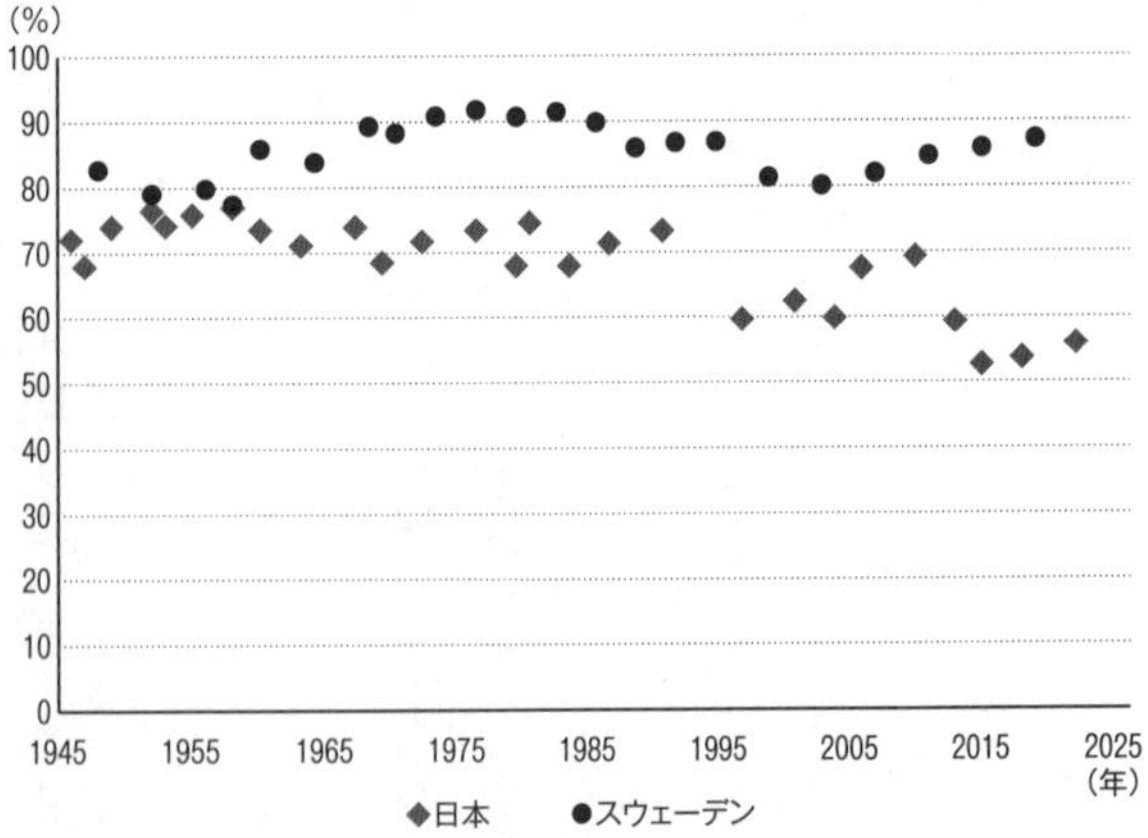

出所：民主主義・選挙支援国際研究所のデータを基に作成。

本の衆議院選挙の投票率が最も高かったのが、１９５８年の衆議院選挙の76・99％であった。一方、戦後最も低かった衆議院選挙の投票率は、２０１４年の衆議院選挙の52・66％であった。２０１０年以降、衆議院選挙は４回あったが、いずれの選挙でも投票率が６割を超えることはなかった。つまり、過去10年の衆議院選挙では有権者の約半分は投票していないということである。参議院選挙に関しては、投票していない人の割合はさらに多い。

　国政選挙における日本の投票率と対極にあるのが、スウェーデンである。スウェーデンの国会は１９７０年までは日本と同じ２院制議会（合計３８０人の国会議員）であったが、１９７０年に国会議員数を大幅に減らして国会議員総数を３５０

人とし、任期4年の1院制議会に変更した。図から明らかなように、第二次世界大戦後のスウェーデンの国政選挙での投票率は、おおむね8割を超える水準で推移してきた。2018年の直近の国政選挙の投票率は87・2％であった。また、戦後のスウェーデンの投票率は、日本の過去の衆議院選挙の投票率が最も高かった1958年の76・99％を常に上回る水準で推移してきた。この投票率の数字はスウェーデン人が日本人と比べてはるかに政治に関心を持っていることを示している。

▽議員の待遇

日本の投票率が低くスウェーデンの投票率が高いのは、単に両国民の政治に対する興味や関心に差があるからだけではない。日本の場合、投票に行かない人は「自分が投票しても何も変わらない」という「冷めた」、あるいは「あきらめた」気持ちが強いからではないだろうか。それに拍車をかけているのが、日本の政治家の質の低下である。日本では、政治家という職業が「おいしい職業」となっているために、国民のために働きたいとか国を良くしたいという高い志よりも経済的理由から政治家を目指す人が増加しているようだ。また、政治家が不祥事を起こしても政治家という「居心地の良いふかふかの椅子」に座り続ける人があまりにも多くいることも、投票率が低い一つの要因となっていると私は思う。

日本の国会議員は一旦当選してしまえば、選挙違反や汚職で刑事責任を問われても刑事罰が確定するまでは政治家を続けることが可能であるし、不逮捕特権によって現行犯でない限り国会会期中は国会の同意なく逮捕されない。また国会議員だけでなく地方議員にも当てはまることだが、本会議に長期間出席しなかったりしても議員を辞めさせるには様々な手続きが必要で、容易には議員を辞めさせることができない。待遇面でも議員は非常に恵まれた状況にある。国会議員の給与（歳費）は月額約１３０万円、期末手当は年間約６３５万円、文書通信交通費が月額１００万円、立法事務費が月額65万円、さらにはＪＲに無料で無制限に乗れるＪＲ無料パスが支給されている。１人の国会議員個人に年間４０００万円以上が支払われているのである。そのうちの文書通信交通費と立法事務費の年間支給額約２０００万円は課税されないお金である上に、領収書を提出する義務すらない。国民が納めた税金を原資にしているにもかかわらず、その使途を明確にする必要がないのである。つまり、国会議員に支払われるお金のうち、その原資が税金であるにも関わらず半分以上が無税かつ使用明細を示す必要のないお金なのである。この点は、情報公開という観点からは大きな問題である。国会議員個人に直接支払われるこれらのお金に加えて、国会議員は政策担当秘書１人と公設秘書２人を雇用することができ、その費用も税金から支払われる。政策担当秘書と公設秘書には給与として年間７００万円以上が支払われている。２０２０年の日本の民間給与所得者の男性の平均年収は５３２万円、女性が２９３万円、男女合わせた平均年収は４３３万円であった。日本の国会議員個人に支払われる総額は、民間給与所得者の男女合わせた平均年収４３３万円の約10倍である。いかに日本の国会議員の報酬水準が高いかがわかる。国会議員ほどではないにしても地方議員も民間給与所得者の平均給与よりもはるかに高い所得を得ている。確かに地方議員の報酬額がそれほど高くないところも存在するが、その地域における他の職種の所得と比較すると地方議員の報酬は非常に高い水準にある。国会議員全員に自動的に直接支払われるこれらのお金に加えて、海外視察用資金として年間約２００万円、相場よりもはるかに安価に利用できる国会議員宿舎などを利用できるなど、国会議員は様々な面で経済的に優遇されているのである。

このように日本では国会議員に限らず地方議員も含めて政治家になることが「待遇の良い職に就く」ということとなってしまっているような気がする。政党の公募で選ばれてたまたま当選してしまった人たちにはそのような人が多いと思う。実際、当選直後に「料亭、行きてぇ！」とか、「棚からぼた餅という言葉は僕のためにあるような言葉」などと発言してしまうような人や、国会をズル休みして旅行に行ってしまう人がいて、問題になったことがある。国民の税金で彼らの給与（歳費）が支払われているのにその自覚が全く感じられない発言や行動をする議員が多数存在している。国民の民意をくみ取り政治活動を一生懸命しようと考えていない人が当選してしまうような議員選出方法にも問題はあるが、そういう政治家に投票してしまっている我々国民にも責任はある。

日本と比べてスウェーデンの議員待遇は国民の納得がいくものであると私は思う。スウェーデンの国会議員の報酬は、2021年1月時点で月額6万9900SEK（約91万円）であった。一方、スウェーデン全労働者の2020年の平均月額給与は3万6100SEK（約47万円）であった。国会議員の報酬は全労働者の給与水準の2倍弱であるので、確かに国会議員の報酬水準は高いが、日本の国会議員の水準と比較すると決して高い水準とはいえないであろう。またスウェーデンの国会議員には日本の国会議員のように議員個人に秘書や助手がいる人はいない。スウェーデンでは議会に議席を持つ政党に対して、国会議員1人に対して1人の政策秘書を雇用する助成金が政党に支払われ、政党が所属する国会議員数と同数の政策秘書を雇用する。つまり、議員と同数の政策秘書は雇用されるが、雇用主は政党であり政策秘書は特定の議員の仕事を行うわけではない。つまり、複数の国会議員で政策秘書のグループを共有しているのである。

スウェーデンの国会議員の報酬額の決定は、国会報酬委員会（Riksdagens arvodesnämnd）で決定される。この委員会は委員長（通常、退職した裁判官）と2人の委員（通常、元公務員やジャーナリスト）で構成されており、国会から完全に独立した組織である。現在の国会報酬委員会の委員長は、1614年に設立され、スウェーデンで最も古い控訴裁判所の裁判長であったヨハン・ヒルシュフェルト（Johan Hirschfeldt）である。国会報酬委員会の決定は絶対で、議会で採決されることはない。日本のように国会議員が自分たちの報酬や待遇を自分たちで決めるのではない。最近の日本で起こった事例では、2021年10月の衆議院選挙後に議論となった「議員在職1日での文書通信交通費の100万円支給問題」がある。文書通信交通費は月ごとの支給であり日割り支給ではないため、法律上は議員在職1日でも文書通信交通費100万円を受け取ることができることになっている。当初は文書通信交通費を日割りにする法律改正などが議論されたが、結局反対する国会議員が多数を占め、議員在職1日にもかかわらず文書通信交通費100万円を全ての国会議員が受け取った。このようなことはスウェーデンでは決して起こり得ない。なぜなら、政治家に支払われるお金の原資は、国民が納めた税金だからである。

▽国民が納得する国会議員の歳費

スウェーデンでは国会が議員の宿舎用にアパートの部屋を所有している。そのアパートは国会議事堂のあるストックホルムから50キロ以上離れたところに現住所がある議員に対して無料で貸し出されている。ただし、議員宿舎用のアパートの多くは古くて狭い。議員宿舎用のアパートは基本的に議員一人のみで利用することになっている。配偶者といえども2泊以上宿泊する場合には宿泊費を支払わなくてはならない。また、自分でアパートを借りる場合には月額8000SEK（約10万4000円）の家賃補助を受け取ることができる。もし、家族と住むのであれば、そのことを国会に報告しなくてはならない。家族と同居する場合には、家賃補助の総額を家族の人数で割った金額を家賃補助として受け取ることができる。例えば、夫婦で住む場合には、8000SEKの半分の4000SEKの家賃補助しか受け取ることができない。この家賃補助を不正に受給したとして大きなスキャンダルになったのが、当時スウェーデンの最大政党であった社会民主党（Socialdemokarterna）の党首であったホーカン・ユーホルト（Håkan Juholt）である。彼は2007年から4年半に渡ってガールフレンドと同居しているにも関わらず、全額の家賃補助を受け取っていたのである。本来受給すべきではなかった16万SEK（約210万円）を受給していたとしてメディアはユーホルト事件（Juholtaffären）としてこぞって報じた。その3カ月後に彼は党首を辞任することとなる。このスキャンダルがなければ、彼はスウェーデンの首相になっていただろうといわれている。過去にもスウェーデン女性初の首相と期待されていた社会民主党の副党首であったモナ・サリーン（Mona Sahlin）もお金の不正使用で失脚した。スウェーデンに2つある全国版夕刊紙の一つであるエクスプレッセン（Expressen）が、1995年10月にモナ・サリーンが1990年から1991年にかけて労働大臣だった当時、政府のクレジットカードを不正利用したと報じた。エクスプレッセンは、彼女が政府のクレジットカードで、衣服などの代金、レンタカーの使用料、キャッシングなど私的目的で総額5万3174SEK（約69万円）相当を使ったとすっぱ抜いたのである。購入した商品の中にトブラローネ（Toblerone）というチョコレートが2つあったので、このスキャンダルはトブラローネ事件（Tobleroneaffären）と呼ばれた。

スウェーデンでは公費で支出したものに関しては全て領収書の提出が義務付けられており、国民にはそれら全てを閲覧する権利が与えられている。また公費の原資が税金であるということから、できるだけ公費を支出しないように公費の使い方が法律で細かく規定されている。その法律冊子は32ページにもわたっている。その規定の一部をご紹介したい。飛行機を利用して公費で出張する場合には、基本的にはエコノミークラスでの移動が義務付けられている。長距離移動に際してはビジネスクラスの利用も申請して許可されれば利用できる。飛行機利用の際に獲得するマイレージポイントに関しても規定がある。議員が公費で飛行機を利用した際に獲得した航空会社のマイレージポイントを個人の旅行の際に利用することを禁止している。日々の移動には原則として公共交通機関を利用しなくてはならないとしている。公共交通機関がない場合や特別な理由がある場合には、タクシーを利用することができる。特別な理由とは、例えば、重い荷物を持って移動しなくてはならないとか、タクシー利用によって多くの時間を節約することができるとか、あるいは医学的理由がある場合にはタクシーを利用することができる。飛行機を利用して移動する際に日本の政治家が当たり前のようにビジネスクラスやファーストクラスを利用し、ハイヤーやリムジンを利用するのとは大きな違いがある。タクシーの不正利用で２０１１年にエクスプレッセンですっぱ抜かれて、国会議員を辞めたのが緑の党（Miljöpartiet）のスポークスマンであったミカエラ・ワルテルソン（Mikaela Valtersson）である。彼女は約半年間にわたって、国会とストックホルムにある自宅との間をタクシーで往復し、総額約１万７０００ＳＥＫ（約22万円）を公費として請求し、受け取っていたのである。彼女の自宅は電車の駅近くであったのに、公共交通機関を利用せずにタクシーを利用したということでスキャンダルとなった。公費の不正利用に加えて、緑の党は環境にやさしい行動をとることを推奨していたにもかかわらず、スポークスマンのミカエラ・ワルテルソン自身が公共交通機関ではなく環境にやさしくないタクシーを利用していたことも政治家として致命傷となった。

スウェーデンでは政治家が税金を原資とするお金を不正に使用したり、蓄財したりしないように様々なルールが法律で規定されている。なぜなら、国会議員に支払われている全てのお金の原資は国民が納めた税金だからである。政治家が税金を原資とするお金を不正に使用したことが公になった場合には、スウェーデンの政治家にとってはそのことが致命的なスキャンダルとなることは、先に記したいくつかの事例が物語っている。その一方で、浮気や不倫は致命的な問題とはならない。この点は日本とはかなり様子が違う。日本においては、浮気や不倫といった問題は、政治家のイメージを大きく損ね、場合によってはその後の政治活動に致命的な影響を及ぼすことがある。一方、スウェーデンでは浮気や不倫といった問題は政治活動に制約を加えるようなことにはならない。なぜなら、浮気や不倫といった問題は政治家個人の問題であって、政治家としての資質とは関係ないとスウェーデン人は考えているからである。もしスウェーデンでは浮気や不倫といった状況が起こったとしたら、その人はおそらく離婚し、浮気相手なり不倫相手なりと結婚することになるだろう。

以上みてきたように、スウェーデンでは政治家という職業が、日本の政治家のように必ずしも「おいしい職業」とはなっていない。スウェーデンの政治家には、日本の政治家が有しているような特権は存在しない。確かに国会議員の給与水準はスウェーデン人の平均給与よりも高い水準ではあるが、お金の使い方に関してスウェーデンの政治家は常に国民から監視されている。本節でご紹介したスウェーデンの政治家のスキャンダルは、全て近隣住民など一般市民からの通報がもとで発覚している。国民から監視されていることと情報公開の結果、お金に関してスウェーデンの政治家は日本の政治家と比べてはるかにクリーンといえるのではないだろうか。

▽民意を反映させるスウェーデンの議員選出

政治家の選出に関してスウェーデンと日本の一番大きな違いは、有権者の民意をいかに正確に反映させようとしているかという点である。以下では国会議員の選出方法を中心にスウェーデンと日本とを比較したい。

議員選出の方法には個人に投票する選挙区制と政党に投票する比例代表制がある。日本の国政選挙では選挙区選挙と比例代表選挙が併用されてるが、地方選挙では選挙区選挙で当選者を選出している。日本の国政選挙の参議院議員選挙では、候補者は選挙区選挙か比例代表選挙かのいずれか一方にしか立候補できないが、衆議院議員選挙では候補者は選挙区選挙と比例代表選挙の両方に立候補する重複立候補が可能となっている。参議院議員の２４８人のうち、比例代表制度で選ばれる議員は、全体の約４割にあたる１００人のみである。衆議院議員については４６５人のうち、全体の4割弱にあたる176人が比例代表で選出されるが、選挙区と比例区の両方で立候補し比例代表選挙で復活当選している議員が多数いる。その一方で、比例代表選挙のみに立候補して当選した議員は非常に少ない。ちなみに、2021年秋の衆議院議員選挙の定数17人の比例区東京ブロックで、重複立候補せず比例代表選挙のみに立候補して当選した議員はわずか4人であった。参議院と衆議院を合わせた日本の国会議員のうち、比例区のみから選出された国会議員は全体の3割未満である。「国」の議員であるにもかかわらず、特定の狭い地域（地盤地域）の有権者から選ばれている議員が全体の7割以上を占めているのである。このことが日本で当選するためには、「ジバン（地盤）」、「カンバン（看板）」、「カバン（鞄）」の「三バン」が必要といわれる所以である。「ジバン（地盤）」は選挙区内の有権者を組織化した後援会、「カンバン（看板）」は知名度、「カバン（鞄）」は選挙資金、を意味する。政治家としての資質や当選したら何を行いたいかという志よりも「三バン」が揃っていることの方が当選するためには重要なのである。

スウェーデンにおける議員選出の方法は、国政選挙も地方選挙（県および市区町村の選挙）も全て政党に投票する比例代表制である。スウェーデンの国政選挙は、全国をいくつかのブロックに分割して議員を選出する「中選挙区比例代表制」である。各政党の当選者は、政党が決定した候補者名簿の上位から当選者が決まっていく「拘束名簿方式」によって決定される。人口を基礎に選挙区ごとに総議員数（選挙区確定議席数）が割り振られており、各政党の選挙区での得票数に応じて配分される議席数が決定される。この点は、日本の比例代表選挙と同じである。しかし、スウェーデンの比例代表選挙には日本の比例代表選挙にはない「調整議席」というものが存在する。「調整議席」は、有権者全員の民意がより正確に各党への配分議席数に反映されるようにするための制度である。その決定方法は次の通りである。各政党が国全体で獲得した総得票数を基礎に、理論的に各政党に配分される総議席数を算出する。その理論値と実際に配分された議席数の差が「調整議席」で、それが各政党に配分される。どの選挙区に何議席を配分するかは、各選挙区におけるいわゆる、議席獲得にいたらなかった「死票」が最も多かったところから順次配分される。調整議席配分制度には、①政党の総得票数と獲得議席数との乖離を小さくする効果、②死票数を減少させる効果、③選挙区間（地域間）の一票の格差を縮小させる効果、がある。この①②③のいずれもが、有権者の民意をより正確に反映させる効果がある。

先にも記したようにスウェーデンでは議員選出の方法は全て個人ではなく政党に投票する比例代表制であり、各政党の当選者は「拘束名簿方式」によって決定される。つまり、スウェーデンで当選するためには、日本で当選に必要といわれている「ジバン（地盤）」、「カンバン（看板）」、

「カバン（鞄）」の「三バン」は必要ではない。スウェーデンで当選するために重要なことは自分が所属する政党への投票数を増加させることと、自分の名前を候補者名簿の上位に少しでも位置付けるようにすることである。名簿順の上位に名を連ねるためには、政党が行う選挙キャンペーンにどれだけ貢献しているかが重要となってくる。つまり、所属政党が掲げる理念や政策を国民に訴え、理解してもらえる活動をどのくらい一生懸命行うかが重要で、その活動が有権者からどのくらい支持されているかを見極めたうえで名簿の順番が決定される。いわゆるスウェーデンはマニフェスト選挙なので、いかに所属政党のマニフェストを広く国民に理解してもらうかが個人の当選確率を高めるのである。さらに、民意を選挙結果により正確に反映させるための仕組みとして、政党名で投票する方法に加えて、候補者個人に投票する「個人名投票」が可能である。この方式が採用されているのは、政党が用意した名簿順が必ずしも有権者の民意を反映した順番であるとは限らないからである。ただし、個人名投票で当選するには、当該選挙区での所属政党の総得票数の5％以上の票をその候補者が獲得している必要がある。その場合には、その候補者は候補者名簿の順番とは関係なく優先して当選することとなり、残りの当選者は候補者名簿に順じて決定される。

民意を反映させようとするスウェーデンの選挙制度は、結果として、議員の多様性を生み出している。スウェーデンの議員は日本の議員と比べてはるかに多様である。２０１８年のスウェーデンの国政選挙では３４９議席のうち、男性の当選者が１８８人、女性が１６１人であった。現在22ある省庁の12の省庁の長官が女性である。さらに、最も重要なポストである外務省と財務省のトップは女性である。首相は男性であるので、主要ポストの男女比は11対12である。この観点からも、スウェーデンの国会はジェンダー平等な国会であるといえよう。国会議員の年齢についても幅が広く、平均年齢も低い。２０１８年の国政選挙の際の最も若い当選者は22歳、最も高齢な当選者は85歳であった。また当選者の6割以上が50歳未満であった。当選者の教育レベルも様々である。当選者の約25％が高校を卒業しただけで、大学には進学していない。ここで言えることは、日本と比べてスウェーデンの国会議員は、女性の割合がはるかに高いこと、平均年齢が低いということ、さらには、教育水準や出身国などのバックグラウンドが日本よりもはるかに多様であるということ、である。しかしそれでも国会議員に関してはまだ十分にダイバーシティ（多様性）が実現されていないという議論にスウェーデンではなっている。なぜなら、２０１８年時点での国会議員についてみてみると、国会議員の教育水準は国全体の平均教育水準よりも高く、外国生まれの国会議員の割合についても11・５％と国全体の外国生まれの国民割合19・７％よりも低いという状況だからである。

一方、日本に関しては２０２１年10月の衆議院議員選挙の当選者の平均年齢は55・5歳、20代で当選したのはたった１人であった。また女性の当選者の割合は全体の９・７％であった。首相を含めた21ある主要ポストのうち、女性は３人のみである。日本の国会議員の構成は、年齢の観点からも、ジェンダー平等という観点からも、ダイバーシティという観点からもスウェーデンと比べると非常に見劣りがするのが現状である。

日本の国政選挙に関して一番問題であると思うのは、人口と議員定数の問題、つまり日本でしばしば問題となる「一票の格差問題」である。スウェーデンでは選挙区に割り振られる議席数(定数配分)は、選挙が行われる年の４月30日時点で各選挙区に在住する人口をもとに決定される。スウェーデンの国内選挙は、国政選挙も地方選挙も投票日が同じ9月第二日曜日に行われる(1)。つまり、選挙約４カ月前の人口をもとに各選挙区の議員定数の配分が行われるのである。一方、日本はどうかというと、スウェーデン同様、比例代表選挙の比例ブロックや小選挙区の議員定員配分は人口を基に配分議席を決めることになっている。しかし、有権者の民意を正確に反映させるという意味で、日本の配分議席数決定のもととなる人口の算出方法はスウェーデンと比べると非常にお粗末と言わざるを得ない。日本では配分議席数の計算の基礎となる人口は直近の国勢調査のデータを用いている。しかし、日本の国勢調査は5年に一度しか行われていない上に集計結果は一部速報値が回答期限の約4カ月後に公表されるものの、確定値の公表には1年はかかる。そのため、選挙直近の国勢調査の人口をもとに議員定数が配分された上で、選挙が実施されるとは限らない。２０２１年の衆議院選挙はまさにそうであった。２０２０年に国勢調査が行われたにもかかわらず、２０２１年10月31日投開票日の衆議院選挙は、２０２０年国勢調査ではなく一回前の２０１５年国勢調査の人口を基に算出された議員定数で選挙が行われた。２０２０年の国勢調査の回答期限は２０２０年10月7日で、２０２１年衆議院選挙の投開票日の1年以上前に回答が締め切られていたにもかかわらずである。２０２０年国勢調査の人口ではなく２０１５年国勢調査の人口が用いられたのは、２０２０年国勢調査の集計が間に合わなかったという理由からである。日本でしばしば「一票の格差」が議論され、最高裁で「違憲」であると判断されているにもかかわらず、違憲状態のまま選挙が実施され続けている。その上、「1票の格差」を是正するための制度改革が遅々として進んでいない。実際、２０２１年の衆議院選挙では格差が2倍を超える選挙区が多数存在し、「一票の格差」が縮小しているどころかますます「拡大」している。そもそも、「1票の格差」を論じる前提となる人口データも5年に一度の国勢調査でしか集計されておらず、その最終集計結果の公表に1年以上も要している。国民の声を正確に政治に反映させようという姿勢が日本の政府には全く感じられない。先にも記したが、スウェーデンでは投開票日の約4カ月前の人口データを基に議席が配分され選挙が行われる上に、調整議席制度によって「一票の格差」の是正を図っている。スウェーデンの方が日本よりもはるかに国民の民意を正確に選挙結果に反映させようとしていることがわかる。

さらに日本の国政選挙で道理にかなっていないと思うことは、比例代表枠で当選した議員が、離党した場合でも辞職せずに議員を続けることができる点である。ご存じのように、日本では政党所属の議員が何らかの不正を働いたり不祥事を起こしたりした場合、世間の批判をかわすために政党がその議員を離党させることが多い。その際に、比例代表で選出された議員であっても日本には議員辞職の規定がない。比例代表枠で当選したということは、議員自身が所属政党の理念や政策に賛同したからであり、有権者もその政党の理念や政策に賛同したからその政党に投票したのである。比例代表枠で当選した議員が離党するのならば、理由の如何を問わず議員も辞職するのが道理であるはずだ。しかし、現行規定では「無所属」の場合には議員を続けることができることになっている。この規定からは、比例代表選挙で当選者を選んだ有権者の民意を尊重しようという姿勢は全く感じられない。スウェーデンでは、理由の如何を問わず当選議員が所属政党を離党した場合には、その議員は即座に辞職しなくてはならないことになっている。なぜなら、議席は個人にではなく政党に割り振られたものだからである。このことからもスウェーデンの方が日本よりも有権者の民意の結果である選挙結果を重視する姿勢がうかがえる。

▽外国人も政治的に平等

外国人参政権についてもスウェーデンと日本では大きな違いがある。日本では日本国籍を有しない者（外国人）にはたとえ長期間日本に住んでいて、所得税や住民税などの税金を納めていたとしても選挙権や被選挙権が与えられていない。参政権どころか、外国人に住民投票の権利を付与している自治体も日本ではごくわずかだ。２０２１年12月時点で日本全国には１７２４の自治体が存在するが、常設の住民投票条例が制定されているのは78自治体のみであった。そのうち、40強の自治体が条例で外国籍の住民にも住民投票の資格を認めている。ただし、日本人と同じ条件（自治体内に3カ月以上居住していること）で外国人に住民票の投票権を認めているのは、神奈川県の逗子市と大阪府の豊中市の2つの自治体のみである。このように日本ではほとんどの自治体で、環境破壊につながる大規模な開発、原子力発電所の建設受け入れ、ごみ処理施設の建設など地域住民のウェルビーイングに直接関係する事項の住民投票が行われたとしても、その是非について外国人は意思表明ができない状況となっている。逗子市や豊中市と同じように、日本人と同じ条件で外国人に住民投票の投票権を付与する条例案が２０２１年12月に東京都武蔵野市の市議会で審議されたが、否決された。その際に、新聞、テレビ、ラジオなどの多くのメディアでこの条例案の採決に関する報道がなされた。この時のメディア報道の論調は「住民投票の権利を安易に外国人に与えるべきではない」というものが大勢を占めていた。保守系の多くの国会議員も「外国人の参加を認める住民投票の条例には断固反対する」という声明を発表した。この状況をみて、「日本はなんと閉鎖的な国だなあ」とあらためて私は感じた。昨今、日本の政府や企業は「ダイバーシティを推し進めるべきである」と盛んに主張しているが、武蔵野市の外国人への住民投票権の付与に対する否定的な意見があまりに多い状況を目の当たりにすると、本当にダイバーシティを日本で推し進めようとしているのかはなはだ疑問に感じてしまう。

一方、スウェーデンでは、外国人であっても3年以上スウェーデンに住んでいれば、地方選挙への投票が可能な上に、自ら立候補することも可能である。もちろん、スウェーデンに3年以上居住していれば、住んでいる地域で行う住民投票の投票権も外国人に付与される。つまり、スウェーデンに3年以上住んでいれば、たとえスウェーデン国籍を有していなくても住民登録をしている地域で行われる選挙や住民投票に関してスウェーデン人と同等の権利が与えられているのである。選挙に関する情報もスウェーデン語だけではなく、英語以外の27カ国語で情報提供が行われている。ただし、この中に日本語は含まれていない。私がスウェーデンに10年近く住んでいた時に、投票カードが送られてきて自分にも投票権があることに驚いたことを覚えている。しかし冷静に考えてみれば、議員の活動にかかる費用は私も含めた地域住民が納めた税金から支出されている。地方政府の歳入に当たる税金はその地域に住むスウェーデン人だけが納めたものではない。加えて、地域で選出される議員は、その地域に住む全ての住民のウェルビーイングを最大化するように行動しなくてはならないのであるから、そこに住む住民を国籍によって区別するのは不当であろう。

投票方法に関しても、できるだけ多くの民意を政治に反映させようという姿勢が日本よりもスウェーデンの方が強い。日本の選挙での投票方法は①投票所での投票、②郵便投票（重度の障害のため投票に行けない場合等）、のいずれかである。しかし、スウェーデンではこの2つの方法以外に、③投票用紙を代理人が投票所に持って行って投票する方法、④投票用紙を自宅等まで取りに来てくれて投票する方法、がある。③の投票方法は、高齢であったり、何らかの障害を有していたりする場合に利用することができる。代理人には、家族、介護補助者、郵便配達員など特定の人だけがなることができる。ここで驚くべきことは、刑務所に投獄されている人にも投票権は与えられており、代理人投票で投票できることである。日本では刑務所に投獄された受刑者には選挙権も被選挙権も与えられていないが、スウェーデンでは受刑者にも選挙権が与えられている。[2]ちなみに、受刑者の代理人は刑務官である。④の投票方法は、高齢、障害等の理由で代理人を手配することができない場合に、市区町村が投票用紙を回収する人を手配し、投票用紙を自宅等まで取りに来てくれる投票方法である。

選挙権と被選挙権の年齢制限の差に関しては、スウェーデンでは、国政選挙、地方選挙に関係なく選挙権と被選挙権の年齢の差はない。スウェーデンでは投票できる年齢も選挙に立候補できる年齢も18歳以上となっている。日本の場合、投票できる選挙権は18歳から認められている一方で、選挙に立候補できる被選挙権は、選挙の種類によって25歳以上あるいは30歳以上でなければならないと規定されている。選挙権と被選挙権の資格年齢に差があるのはなぜなのか。差が存在することに歴史的な経緯や背景があるのかもしれないが、その差を説明できる合理的な理由を私自身は見出すことはできない。被選挙権の資格年齢を引き下げれば若い世代がより政治に関心を持つと思うのだが、それをしないのは現職の政治家である既得権者が引き下げないことによる便益を享受しているからなのではないだろうか。

これまでみてきたように、スウェーデンの選挙制度の特徴である比例代表選挙、調整議席制度、選挙直前の人口を基に算出された配分議員定数による選挙、外国人参政権、投票方法の多様性、選挙権と被選挙権の年齢が同一であること、は全て国民や住民の声をより正確に政治に反映させようとした結果である。スウェーデンと比較すると、日本の選挙の仕組みは国民や住民の声を政治に反映させるという観点からはかなり見劣りがすると言わざるを得ない。

▽模擬投票と民主主義教育

日本の投票率は戦後一貫して低下傾向にあり、年齢が低くなればなるほど投票率は低い傾向となっている。２０１７年の衆議院選挙の投票率は、20代で33・85％、30代で44・75％であった。このことは、40歳未満の人たちの半分以上が投票に行かなかったことを意味している。それに対してスウェーデンの若年層の投票率は他の世代の投票率とくらべると若干低いものの、８割以上の人たちが投票している。２０１８年の国政選挙では、30歳未満の投票率は85・１％であった。投票率が最も高かった50歳から64歳までの人たちの投票率は90・７％であった。スウェーデンの若年層の投票率が高いのは、中学校や高校で政治や選挙が身近なものと感じるような様々な取り組みが行われているからである。日本と比べて、スウェーデンの学校には民主主義の仕組みや民主主義とは何かということを実践的に学ぶ機会が多く存在している。その代表的なものが、スウェーデン最大の民主主義プロジェクトである模擬投票（Skolval、直訳は「学校での投票」）である。模擬投票はスウェーデンの政府機関であるスウェーデン青年および市民社会庁

(Myndigheten för ungdoms- och civilsamhällesfrågor：MUCF) が中心になって運営されている。スウェーデンでは4年に一度の国政選挙のタイミングで、中学校と高校の18歳未満の生徒による国政選挙の模擬投票が全国レベルで行われる。模擬投票の目的は民主主義と政治に関する知識を深めること、民主主義の仕組みを理解すること、民主主義とは何かということを考える機会を若い人たちに提供すること、である。模擬投票は１９９８年から行われており、２０１８年の模擬投票では約50万人の学生が投票を行った。２０１８年の０歳から17歳までの総人口が２１６万人であったことを考えると、50万人が参加した模擬投票がいかに大規模な取り組みであったかが容易に想像できるだろう。模擬投票を通して生徒はどのように選挙が行われるのかを学ぶことになる。模擬投票への参加を希望する学校は申し込みを行いさえすれば模擬投票に参加することができる。申込期間は実際の選挙の約1年前から１カ月前までである。また模擬投票の理解を深めるために、１カ月以上にわたってスウェーデン各地で模擬投票に関する説明会が開催される。模擬投票に参加する多くの学校では、政治に関するディベートを行ったり、現職の様々な政党の代表者を招聘して討論会を行ったり、実際の議会を傍聴することが企画されたりしている。このような選挙投票前のイベントを通じて、民主主義のシステムがどのように機能しているのか、それぞれの政党が何を目標に行動しているのか、各政党はどこが違うのか、といったことについて学生は学ぶことになる。つまり、選挙前の様々なイベントによって、学生にとって政治がより身近なものとなるのである。模擬選挙は実際の選挙と同じ形式で行われる。模擬投票の最終投票日は実際の選挙投票日の直前である。実際の選挙の投票日は9月第二日曜日であるので、模擬投票の最終締め切りは通常その2日前の金曜日であることが多い。模擬投票の集計結果の速報値は実際の選挙の投票が締め切られる9月第二日曜日の20時以降に発表される。２０１８年の国政選挙の時に行われた模擬投票の詳細な選挙結果は10日後に公表された。模擬投票の結果は実際の国政選挙の結果と必ずしも類似しているわけではない。例えば、２０１８年の選挙結果をみてみると、実際の選挙では社会民主党が28・3%を獲得し最大政党となったのに対して、模擬投票では社会民主党は19・5%を獲得し第二党であった。模擬投票で最も獲得票が多かったのが穏健党(Moderaterna)の21・2%で、実際の選挙での穏健党の獲得票の割合は19・8%であった。また、緑の党の場合、実際の選挙ではわずか4・4%しか票を獲得できなかったのに、模擬選挙ではその倍以上の10・3%の票を獲得した。模擬投票を通じて、選挙権のない若年層は民主主義の根幹をなす選挙の仕組みを理解し、民主主義がどのようなものであるかを学ぶ。同時に彼らは模擬投票を通じて政治を身近なものと感じるようになる。その結果、選挙権を得る18歳以上になると、投票に行くことになるのである。

日本の教育基本法では、「政治的中立性を保ちながら公民として必要な政治的教養を育む教育を行うこと」が規定されている。しかし日本ではこれまで「政治的中立性を担保する」という名のもとに、民主主義の根幹をなす政治的教養に関する教育が行われてこなかった。たしかに、2016年に選挙権が20歳から18歳に引き下げられたことを契機に、総務省や文部科学省などが政治的教養を身に着けるための様々な教材を作成し、中学校や高校で政治教育が促されてきた。しかし一方で、2016年には愛媛県教育委員会が、県内全ての県立高校に対して「高校生が政治活動を行う場合には1週間前までに届けること」を義務付けた。これは憲法で保証されている集会、結社、思想の自由を教育委員会が侵していることを意味している。このように、日本では18歳未満の子供が政治について論じること、政治活動を行うことをタブー視する傾向があるように思われる。そもそも日本では18歳未満（選挙権年齢が18歳に引き下げられる前は20歳未満）の人が選挙活動を行ってはいけないと公職選挙法で規定されている。実際、日本の全ての政党の入党要件には「満18歳以上で、日本国籍を有する者」という条件が付されている。これでは、いくら教育基本法で「政治的教養を育む教育」が推奨されても、選挙権を有しない日本の若者が政治や民主主義を身近に感じることはできない。スウェーデンには、日本の公職選挙法が規定している選挙活動に関する年齢制約（年齢制限）は存在しない。スウェーデンには政治や社会問題に興味を持ち若い時から活動する人が多数存在する。例えば「議員の待遇」でご紹介したモナ・サリーン（政府のクレジットカードを私的に利用したとして糾弾された政治家）は16歳の時に社会民主党に入党して、政治活動を開始している。政治家ではないが、環境活動家のグレタ・トゥーンベリ（Greta Thunberg）も15歳の時に気候変動に対して危機感を感じ、環境破壊に対する抗議活動を開始した。彼女の活動が世界的な広がりを見せたことは記憶に新しい。

▽メディアと民主主義

英国の週刊新聞であるエコノミストが２００６年以降毎年、世界の国々と地域に関して民主主義ランキングを発表している。民主主義ランキングは5つの要素から民主主義指標を作成し順位付けを行っている。5つの要素とは、①選挙プロセスと多元主義、②政府の機能、③政治参加、④政治文化、⑤市民の自由、である。直近２０２０年のランキングでは１６５の国と2つの地域を対象に民主主義ランキングが発表されており、スウェーデンは3位、日本は21位であった。スウェーデン以外の北欧諸国については、ノルウェーが1位、アイスランドが2位、フィンランドが7位、デンマークが8位と、全ての北欧の国々が上位10カ国にランキングされている。エコノミストの報告書には、北欧諸国は民主主義国家の優等生であると記されている。

民主主義が機能するためには、選挙によって国民の意思が政治に反映されること、国民が政治的に自由に活動できること、表現の自由や言論の自由が担保されていること、マスメディアが多元的で政府の活動を監視することが可能である体制が整っていること、が必要である。特に、民主主義の質を高め維持するためには、政府や政治家を監視するための報道の自由が重要である。数多くの研究で、民主主義の質と報道の自由との間には正の相関関係があることが示されている。世界各国の報道の自由をランキングしたものに、国際ジャーナリストＮＧＯの国境なき記者団（Reporters Without Borders：RWB）が２００２年以降毎年発表している世界報道自由度指数（World Press Freedom Index）のランキングがある。世界報道自由度指数は、メディアの専門家、弁護士、学者に対して行われる80項目を超えるアンケート調査（定性調査）と調査期間中に発生したジャーナリストに対する暴力行為などの統計データ（定量調査）を組み合わせて導出されている。アンケート調査では、「意見の多様性」「政治・企業・宗教からのメディアの独立性」「メディア環境と自己検閲」「報道に関する法制度」「報道に対するルールの透明性」「ニュースや情報を提供するためのインフラの質」を問うている。２０２２年のランキングでは１８０カ国中１位がノルウェー、2位がデンマーク、3位がスウェーデン、5位がフィンランドと北欧諸国全てが上位5カ国にランキングされている。スウェーデンが上位10カ国にランキングされていないのは、２００２年以降で三度だけである。最も順位が低かったのが２００６年の14位である。一方で２００９年と２０１０年には1位であった。それに対して、２０２２年の日本の順位は71位であった。日本は２００２年から２０１２年の期間はおおむね40位以内であったが、２００６年の第一次安倍内閣で初めて51位にランキングされた。特に２０１２年12月に発足した第二次安倍内閣以降、日本の世界報道自由度指数ランキングはじりじりと順位を下げ、２０１５年以降60位以上にランキングされたことは一度もない。２００９年から２０１２年の民主党政権時の２０１０年の順位は、12位と日本の順位としてはこれまでの最高ランキングであった。ちなみに、民主党政権下での最も低い順位は22位であった。日本が順位を大きく引き下げた要因として、日本政府が福島第一原子力発電所事故の問題や沖縄での米軍基地移設問題などを批判的に報じるメディア媒体の言論を抑圧したり、「記者クラブ」制度によってフリーの記者や外国人の記者の活動を差別したりするなど、民主主義の〝監視役（番犬）〟としてのメディアの活動の自由や報道の自由を著しく制限していたことなどが指摘されている。また、本来、政府は国民の様々な意見に耳を傾ける必要があるにもかかわらず、２０１２年12月に発足した第二次安倍内閣以降の政権では異論に不寛容で、批判を敵視する姿勢が取られてきた。その最たる事例が、２０１７年に街頭での東京都議選の安倍首相（当時）の応援演説の際に、批判的な声を上げた聴衆に対して、安倍首相が「こんな人たちに負けるわけにはいかない」と発言したことである。その発言がテレビやSNSで拡散して、首相自身が大きな批判を受けることになる。しかしその後の安倍首相の街頭演説では反対派が紛れ込まないように支持者だけで固めた上に、反対派が批判の声や横断幕を張れないように警察も動員して様々な妨害工作を行った。中にはヤジを飛ばしただけで逮捕された聴衆もいた。首相自らが民主主義の要件である「表現の自由」を妨げているのであるから、世界報道自由度指数のランキングが低いのも当然と言えば当然である。

一方、スウェーデンでは政府が民主主義を維持し発展させることがスウェーデン政府の優先事項であると宣言しそれを実践している。このことが端的に表れているのが、スウェーデン外務省の外交政策の声明文である。そこでは、「世界の民主主義の発展のためにスウェーデン政府は大きな声をあげ、主要なアクターとなるためにできる限りのことを行う」と宣言している。スウェーデン政府は民主主義が持続可能な社会にとって最も重要な基礎であるとしている。スウェーデンでは、政府が国民の様々な意見に耳を傾ける姿勢に加えて、国民の表現の自由や言論の自由が日本のように直接的・間接的に制限されていない。第一章でご紹介したように、スウェーデンでは今から約250年も前から情報公開が法律で保証されている。スウェーデンはメディアの独立性を最も尊重する国の一つであるが、同時にメディアが偏った報道、つまり偏向報道を行っていないか、報道倫理やジャーナリズムとしての職業倫理が遵守されているかどうかを監視する独立した専門機関であるメディアオンブズマンを有する国である。[3] 実際に偏向報道や報道倫理等を監視するのは、一般の個人、民間企業、政府機関である。メディアオンブズマンは、メディアによって不当に扱われていると感じる個人や組織からの苦情や倫理的問題を調査し、処理する機関である。ここでいうメディアとは新聞、雑誌、放送などのメディアに加えて、ウェブサイトやソーシャルメディアの編集コンテンツが含まれている。メディアオンブズマンがメディアでの報道に対する苦情が妥当であるとした場合、メディアオンブズマンがその事案をメディア評議会に報告し、メディア評議会の判断を仰ぐ。申し立てのあった報道がメディア倫理規則に違反しているとメディア評議会が判断した場合、その報道を行ったメディアは報道の訂正と不適切報道であったことを公表しなくてはならないことになっている。

以上みてきたように、250年以上前からスウェーデンでは情報公開、表現の自由、言論の自由が法律で保証されている。さらには、マスメディアが報道倫理に反する報道を行わないように監視するオンブズマン制度が50年以上前から存在している。つまり、スウェーデンではメディアが多元的に政府の活動を監視する体制とメディアが誤った報道を行わないようにチェックする体制が整っている。このことが、世界で最も高い水準で民主主義がスウェーデンで機能している大きな要因の一つである。

（1）国会で解散総選挙が行われたのは1958年の付加年金問題で国会が解散された時の一回のみである。解散された場合には、解散時の議員任期の残りの期間が解散総選挙後の議員の任期となる。どのような状況でも4年ごとに9月第二日曜日が投開票日で選挙が行われる。

（2）スウェーデンの公職選挙法の規定にはそもそも選挙違反に関する規定が存在しない。従って、選挙違反による公民権剥奪や公民権停止という罰則規則も存在しない。

（3）報道に関するオンブズマンである「報道（出版）オンブズマン（Pressombudsman）」は1969年に初めて設置されたが、報道を行うメディア媒体が多様化するのに対応して、2020年に「報道（出版）オンブスマン」は「メディアオンブズマン」として組織改編された。

第四章　ジェンダー差別のない社会

▽女性の社会参加

スウェーデンは男女間の格差が小さい、世界でも最もジェンダー平等な国の一つである。ジェンダー平等は、性別に関係なく、全ての人が社会生活の様々な状況において平等である状態をいう。言い換えると、女性であることを理由に差別を受けない状態が、ジェンダー平等が実現している状態である。働くことに関していえば、「夫は外で働き、妻は家庭を守るべきである」という性別による役割分担の考え方を見直すことが、ジェンダー平等を実現することである。本章ではスウェーデンで、どのようにして女性が男性と同じように労働市場で働き、社会の中で活躍する機会を獲得し、ジェンダー平等な社会を実現してきたのかについてみていきたい。

日本では、女性の労働市場における差別を是正するための法律が１９８０年代半ば以降次々と制定された。１９８６年には女性の労働市場における差別を禁止する男女雇用機会均等法が施行された。その後、１９９２年に育児・介護休業法、１９９９年には男女共同参画社会基本法が施行され、女性の社会参加を促進しジェンダー平等な社会を実現することが唱えられた。その背景には、少子高齢化が進展し労働力が不足していく状況下で、人材を確保するために女性の労働参加の重要性を企業が認識し始めたことがある。様々な取り組みは、主として女性の雇用を維持・促進することに重点が置かれている。つまり、女性が出産や育児で退職してしまわないように、いかにして多様で柔軟な働き方を実現していくか、男女間の様々な格差をいかに是正していくか、ということが日本企業や組織にとっての主要な問題なのである。日本政府は働く女性の活躍を後押しするために10年の時限立法で女性活躍推進法を２０１５年に制定した。女性活躍推進法は、国、地方公共団体、従業員１０１人以上の企業に対して、①女性の活躍に関する状況把握と課題を分析すること、②その課題を解決するための数値目標と取組を盛り込んだ行動計画を策定・届出・周知・公表すること、③女性の活躍に関する情報の公表を行うこと、を求めている。当初、①から③は努力義務であったが、２０１９年の改正で義務化された。では、社会において女性が置かれている状況、言い換えると女性と男性との様々な格差は縮小し、解消されたのであろうか。

男女間の格差の指標としては様々な指標があるが、ここでは世界経済フォーラム（World

Economic Forum：WEF）が発表してるジェンダー・ギャップ指数（Gender Gap Index：GGI）を用いて日本とスウェーデンの男女間格差をみてみよう。ジェンダー・ギャップ指数は2006年から毎年発表されている。ジェンダー・ギャップ指数が初めて発表された2006年には115カ国についてジェンダー・ギャップ指数が発表されたが、2022年には146カ国にまで発表対象国は増加した。ジェンダー・ギャップ指数は「経済」「教育」「健康」「政治」の4つの分野のデータから分野ごとのジェンダー・ギャップ指数を算出し、その4つの値の平均値が最終的なジェンダー・ギャップ指数として発表されている。経済分野は5項目、教育分野は4項目、健康分野は2項目、政治分野は3項目で構成され、それぞれの項目で、「女性の値÷男性の値」を計算して、各分野におけるジェンダー・ギャップ指数を算出している。男女間で全く差がない場合、つまり完全平等の場合には、ジェンダー・ギャップ指数は1となる。一方、完全不平等の場合にはジェンダー・ギャップ指数が0となる。図4-1は2006年から2022年までの日本とスウェーデンのジェンダー・ギャップ指数の推移を折れ線グラフで表したものである。2022年3月に発表された最も新しいジェンダー・ギャップ指数のランキングでは、日本は146カ国中116位、スウェーデンは5位であった。2022年のジェンダー・ギャップ指数が最も高かったのがアイスランドの0・908、最も低かったのがアフガニスタンの0・435である。

図４－１　ジェンダー・ギャップ指数

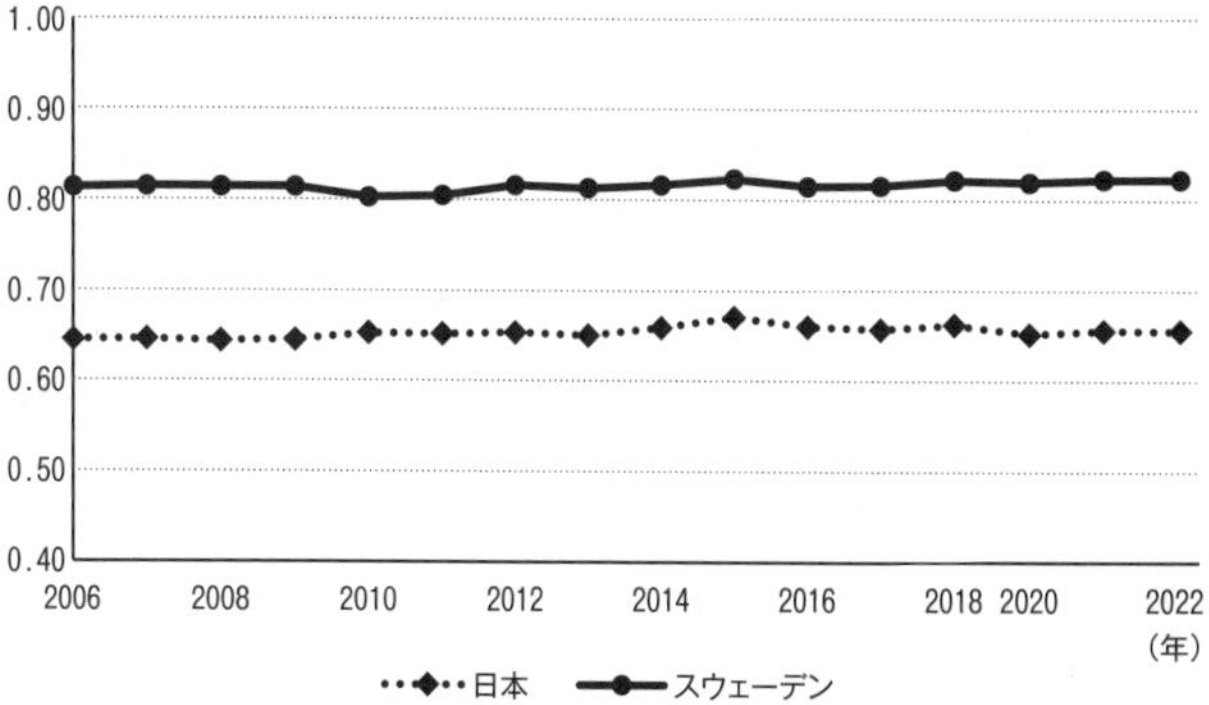

出典：WEF の GCI レポートを基に作成。

先ほども記したが、労働市場における男性との格差を縮小することを目的に２０１５年に女性活躍推進法が制定されたが、日本のジェンダー・ギャップ指数は２０１５年以降必ずしも上昇しているとは言えない状況だ。特にジェンダー・ギャップ指数の構成分野の一つで、女性活躍推進法が最も影響を及ぼすと考えられる経済分野の指数も、２０２２年には１２１位であった。２００６年の値と比較して、２０１６年以降の値が特に上昇しているわけではないが、順位は下降傾向にある。日本の経済分野の指数の値はほとんど変化していないというのは、経済分野において男女間の格差が縮小していないことを意味している。一方で、ランキングの順位が落ちているのは、世界各国で男女間の格差がどんどん縮小している中で、日本の男女間の格差が改善されていない結果であるといえる。４つの分野の中で特に日本のランキングが低いのが、政治分野である。政治分野は国会議員比率、女性閣僚比率、女性首相誕生の有無、の3項目から政治分野のジェンダー・ギャップ指数が算出される。2006年以降、日本はOECD諸国の中でも最も低い順位であり、2022年には146カ国中139位であった。

スウェーデンはジェンダー・ギャップ指数が公表された2006年以降、常に上位5カ国にランキングされてきた。これは、スウェーデンがこれまで進めてきたジェンダー平等な社会のための様々な取り組みの結果である。スウェーデンでは1960年代後半から女性が男性と同じように社会で自分の生活を形成できるようにジェンダー平等政策（男女共同参画政策）を進めてきた。具体的には、社会参加の平等、経済的自立のための機会の平等、教育機会の平等、家事労働負担の平等、健康であるための平等な機会、男性による女性への暴力の禁止、を目標にジェンダー平等政策を進めてきた。ジェンダー平等な社会の実現にとって最も重要なことは、女性が経済的に自立していることである。男性も女性も性別に関係なく「自分の食い扶持を自分自身で稼ぐ」という姿勢を有していなくてはならない。その上で自分の食い扶持を自分自身で稼ぐ際に女性であることが障害とならないように社会制度が整っている必要がある。つまり、労働市場において女性であることが不利に働くような制度、仕組み、差別が撤廃されていなくてはならない。

と同時に男性に依存することによって女性が便益を享受できる状況も解消されていなくてはならない。さらには、女性が主として負担してきた育児や介護を含めた家事労働を男性（夫）も同等に負担しなくてはならない。スウェーデンでは、ジェンダーの平等を実現するためのこれらの前提条件を確立させた重要な3つの改革が1970年代に実行された。1つ目の改革が1971年に行われた税制改革、2つ目の改革が公立保育所の充実、3つ目の改革が1974年に世界で初めて導入された男女間で差のない有給育児休業制度、である。以下それぞれについて詳しくご紹介したい。

▽税制改革

1番目の改革が、1971年に行われた税制改革である。この改革によって、所得税は世帯ではなく個人に課される配偶者分離課税方式（個人課税方式）となった。それ以前は、日本と同様、世帯（夫婦）単位に課税される夫婦合算課税方式であった。配偶者分離課税方式の導入の背景には、労働市場における労働力不足がある。スウェーデンでは第二次世界大戦以降、女性の労働市場への参加は増加し続けていたが、労働力不足を補うためにさらなる女性の労働参加を促す必要があり、配偶者分離課税方式が導入されたのである。なぜなら、累進課税の度合いが非常に高かったスウェーデンでは、夫婦合算課税方式では所得の高い夫を持つ女性にとっては働くインセンティブは大きくなかった。一方、配偶者分離課税方式であれば、夫の所得水準が高くても女性に働く経済的インセンティブが高まる。なぜなら、個人課税方式であれば、夫の所得水準に関係なく、女性が働けば夫婦合算の税引き後所得は大きくなるからである。加えて、スウェーデンには扶養控除によって課税所得を調整する制度はないので、子供の有無で課税所得や納税額が変わることはない。つまり、扶養する家族の有無にかかわらず納める税金は変わらないのである。またスウェーデンには給与に付加的に追加される日本で一般的な扶養手当、家族手当、住宅手当などは一切存在しない。同じ仕事をしているのに、妻が専業主婦で子供がいる社員の給与の方が、子供のいない人の給与よりも高いということはスウェーデンでは受け入れられない。その代わり、子供がいる親には毎月子供手当が子供の人数に応じて支給される。年金に関しても、本人が納めた年金保険料の総額によって年金支給額は決定される。女性が専業主婦の場合でも、夫の年金保険料納付総額とは独立して女性に年金が支給される。専業主婦で全く年金保険料を納付していない場合には、最低保障年金が支払われる。現行の最低年金支給額は、独身の場合には最大で月額8651SEK（約11万2000円）、結婚している場合には月額7739SEK（約10万円）である。夫婦合算課税方式から配偶者分離課税方式への転換の背景には、1960年代後半以降、サンボといわれる事実婚・同棲婚が増加し続けたことも大きな要因の一つである。

一方、日本はどうかというと、女性の就労意欲や所得増加のインセンティブを妨げるような税制上および社会保険上の特別なルールが存在している。いわゆる「１０３万円の壁」や「１３０万円の壁」といわれるものである。「１０３万円の壁」は、年間の収入が１０３万円以下であれば、本人の所得税が免除される上に、配偶者控除によって夫の所得税も軽減されるという制度である。「１３０万円の壁」は、夫が社会保険に加入していれば、妻が年間収入を１３０万円未満に抑えれば、妻の年金、医療保険、介護保険などの社会保険料の支払いが免除されるという制度である。妻が年間収入１３０万円を超えて働く場合には、社会保険料の自己負担額が年間30万円程度発生するので、１３０万円未満の年間収入と同程度の手取り収入を確保するためには１６０万以上の年間収入が必要となる。さらには、年金の受給に関しても妻が年間収入を１３０万円未満に抑えるインセンティブが存在する。社会保険料の支払いを免除された妻は、仮に夫が亡くなった場合、自分自身の基礎年金に加え、遺族厚生年金を受け取ることができる。その遺族厚生年金の受給額は、夫の厚生年金報酬比例部分の4分の3に相当する額である。現在の女性の厚生年金の平均受給額は平均的な所得の男性の遺族厚生年金よりも少ない。つまり、年金のことまで考慮すると、妻にとっては働くインセンティブはさらに小さいものとなっているのである。現在の日本の様々な制度は、男性（夫）が女性（妻）を養うということを前提に高度経済成長期の1960年代以降に次々に設計されたものである。人々の生活様式や行動様式が変化しているにもかかわらず、今から60年前の制度が現在も依然として残っているのである。これでは女性が積極的に働こうというインセンティブが強くならないのも仕方がない。スウェーデンでは所得税、住民税、社会保険料の負担額は完全に個人の所得水準のみによって決定される。日本のように、結婚しているかどうか、扶養している家族がいるかどうか、子供がいるかいないか、ということによって負担額が変わることはない。つまり、スウェーデンの税制や社会保険等の仕組みは、日本のように女性の就労意欲や所得増加のインセンティブを妨げるような仕組みにはなっていないのである。

▽保育所の充実

スウェーデンにおけるジェンダーの平等を推進させた2番目の改革が、公立保育所の充実である。公立保育所の充実によって、日中の子供の世話をする人を個人で探す必要がなくなり、女性の労働市場への参加が促進された。現在のスウェーデンでは保育所の利用希望があった場合には保育所サービスを担っている地方自治体が4カ月以内に必ず一つの保育所を紹介しなくてはならないと法律で定められている（２０１０年制定の教育法）。つまり、４カ月以内に保育所への入所を国が保証しているということである。日本のような深刻な待機児童の問題はスウェーデンには存在しない。この4カ月というのは最も長い待機期間であって、実際にはもっと早く保育所が紹介されるケースがほとんどである。また、保育所への入所の優先順位は、失業中で求職活動を行っている人が最も高い。つまり、子供を保育所に日中預かってもらわないと一番困る人から優先的に保育所が紹介されるのである。

一方、現在の日本の保育サービスの提供状況は十分と言える状態にはない。２０１６年2月にある女性が匿名で「保育園落ちた日本死ね！」というタイトルでブログを書き話題になった。そのブログでは、「政府は一億総活躍社会と言っておきながら、保育園に入ることができず、働くことができない。保育園を増やすことにもっとお金を使え」という内容が激しい口調で綴られていた。この匿名ブログがソーシャルメディアやマスメディアで取り上げられ、国会前での抗議デモにまで発展した。国会の予算委員会でも議論されたが、安倍首相（当時）は「匿名なので起こっていることを確認しようがない」と発言し、政府としてその内容を真摯に取り上げ対応しようとはしなかった。それから6年以上が経過しているが、保育所の待機児童の問題はいっこうに解決していない。女性が家庭外で働くということは、その女性たちが主として担ってきた育児を誰かが行わなければならない。しかし、女性の就労をサポートする保育制度が十分でない日本の状況では女性の労働参加を促すことは困難ではないだろうか。

保育所の利用料については、親の所得が高くなればなるほど親が負担する保育料が高くなっていくという点では日本もスウェーデンも同じである。しかし、その保育料は圧倒的にスウェーデンの方が安い。スウェーデンも日本も保育料は自治体ごとに異なるので、ここではスウェーデンのストックホルム市と東京の新宿区を比較したいと思う。スウェーデンには「マックスタクサ(Maxtaxa)」といわれる保育料の最大負担額が設定されている。ストックホルム市の保育料は、世帯の月額総収入が5万3340SEK(約65万5000円)以上の場合、第一子の月額保育料は最大の1510SEK(約1万9600円)、第二子は1007SEK(約1万3100円)、第三子が503SEK(約6500円)、第四子以降は無料とされている。つまり、子供が3人以上いる家庭の月額の保育料の最大負担額は、3020SEK(約3万9200円)である。一方、2021年11月時点の新宿区の場合、最も所得の高い人の第一子の月額保育料は7万4700円、第二子が3万7350円、第三子以降が無料である。つまり、新宿区における1人の子供の保育料がストックホルムで3人以上子供がいる家庭が負担する保育料の約2倍ということになる。このことからもわかるようにスウェーデンは税金は高いが、社会サービスが目に見える形で安価に提供されている。

▽育児休暇制度

３番目の改革が１９７４年に世界で初めて導入された男女間で差のない有給育児休業制度に関する法律が制定されたことである。この制度の導入によって、男性も育児休業を取得するようになり、女性の労働参加率が飛躍的に上昇した。有給育児休業制度は男性の育児休業取得率と女性の労働参加率がさらに高くなるように制度改革が行われ続けている。現在の育児休暇制度では、子供が４歳になるまでに両親合計で通算４８０日の育児休暇を取得することができる。ただし、４８０日のうち、90日は子供が12歳になるまで利用することができることになっているので、子供が４歳になるまでに３９０日を利用し、残りを子供が４歳より大きくなってから利用することもできる。４８０日の育児休暇を父親と母親でどのように分けて利用するかは自由であるが、一人が取得できる育児休暇の最大日数は３９０日である。従って、４８０日の全ての育児休暇を両親で取得するためには、父親と母親のいずれもが、最低90日の育児休暇を取得する必要がある。つまり、母親だけで４８０日分の育児休暇の全部を取得することはできないのである。育児休暇の４８０日のうち、３９０日は給与の80％が保証されるが、１日の最大支給額は１０１２ＳＥＫ

（約１万３０００円）である。残りの90日は一日１８０ＳＥＫ（約２３００円）の定額給付である。

スウェーデンの父親の育児休暇取得割合や平均育児取得日数に関するデータはない。しかし、スウェーデンの父親全員で合計何日間の育児休暇を取得したかというデータは存在する。それによると１９７４年には育児休暇を取得した父親はほとんどいなかったが、その後今日まで増加し続けている。母親と父親の育児休暇取得日数の割合は、１９７４年は10対0、１９９０年には9対1、２００５年には8対2、２０１８年に7対3となり２０２０年も7対3である。つまり、２０２０年時点でも父親は母親の半分以下（7分の3）の育児休暇しか取得していないのである。育児という側面では、スウェーデンと言えども完全なジェンダー平等な状況にある訳ではない。私の印象でも、スウェーデン人の父親の多くは育児休暇を取得しているが、母親と比較すると育児休暇の日数は少ない。その大きな要因のひとつとして男女間の収入格差が挙げられる。つまり、育児休暇中の給与は80％しか保証されないので賃金が低いパートナーが育児休暇を取り、賃金が高い方ができるだけ育児休暇を短くした方がカップルの総収入は大きくなる。スウェーデンでも、平均すると男性の方が女性よりも賃金が高いので、女性がより長く育児休暇を取った方がカップルの総収入は大きくなる。実際、私の友人たちも家計全体の収入を最大にするため女性ができるだけ長く育児休暇をとるんだと私に説明してくれたのを覚えている。男性よりも賃金が低い女性が育児休暇を長く取るのは経済的にとても合理的な行動なのである。しかしそれでも、スウェーデン統計局の統計データを基に計算すると、２０２０年の父親の平均育児休暇日数は約4カ月であった。

一方、日本の男性の育児休業取得率は非常に低い水準にある。厚生労働省によれば、２０２０年の日本の育児休暇取得者の割合は女性が81・6％、男性が12・65％であった。２０１９年の男性の育児休暇取得者の割合が7・48％であったので、1年間で5ポイント以上も増加したことになるが、それでも２０２０年に育児休暇を取得した男性は9人に1人しかいなかったのである。さらには、育児休暇を取得した男性の約3割が5日未満の育児休暇しか取得しなかった。育児休暇を取得する男性の割合は確かに増加しているものの、その育児休暇取得日数は女性のそれと比べると大きな差がある。スウェーデンの男性と比べると、日本の男性がいかに育児休暇を取得していないかがわかる。

１９７０年代に実行された税制改革、公立保育所の充実、有給育児休業制度の導入の3つの改革に加えて、女性が働くことをサポートしたのが、女性の家事の負担を減らす様々な家電製品の開発・販売である。１９５０年代以降、スウェーデンを代表する家電メーカーであるエレクトロラックス（Electrolux）が省力化に寄与する「世界初」の家電製品を次々と開発・販売していく。具体的には、1951年に家庭用洗濯機、1956年に冷凍庫、1957年に電気掃除機、1959年に食洗器、1964年にはコード巻取り機能やごみ収集量を示すメモリ付き掃除機、1969年には電子レンジ、1972年に車輪付き電気掃除機、をエレクトロラックスは開発・製造・販売していった。省力化家電を開発・製造・販売するエレクトロラックスは女性の社会進出とともに業績をどんどん伸ばしていき、1974年には世界で最も電気掃除機を製造する企業となった。今ではこれらの家電製品は世界各国の多くの家庭で広く利用されている。

ここで、家事労働の分担に関するスウェーデンでのエピソードをご紹介したい。日本の職場では退社時に、「軽く一杯飲んで帰ろう」ということになって、職場の同僚たちとどこかで一杯ひっかけて帰宅するということがそれほど珍しいことではないだろう。少なくとも、1990年代の日本ではそれほど珍しいことではなかった。1990年代にスウェーデンに住んでいたころ、スウェーデン人の友人と昼食をしていた時にその日の夜に「軽く飲まないか」と誘ったことがあった。彼には特に何か先約があったわけではなかったが、「一緒に住んでいる彼女に聞いてみないとわからない」とのことであった。結局、「急には無理」とのことで、日を改めて飲みにいくことになった。あとで彼から聞いたのだが、その夜は彼が夕食の食事当番だったそうで、それを急にやらないというのはおかしいと彼女に激しく咎められたため、とてもではないが一緒に飲みにはいけなかったということであった。彼らには子供がいたわけではないが、食事当番も含めて二人で家事の役割分担がしっかり決められていたようだ。全てのカップルがそこまで厳格というわけではないが、程度の差はあれ似たような感じである。つまり、パートナーがいるスウェーデン人と食事をしたり飲みに出かけたりするのには、たとえ先約がなくてもあらかじめ事前に約束しておかないと一緒には出かけられないというのが自分の経験から学んだことである。これが子供のいる家庭となれば、家事の量がさらに多くなり、その役割分担も細かくカップル間で決めているので、一緒に出掛けるのであれば、さらに前もって約束しておく必要があるだろう。スウェーデンでは日本人のように毎晩遅くまで残業しているようなことはないので、ウィークデイでも夕食を子供と一緒に家族で食べるというのが一般的である。

内閣府が、2021年に日本、スウェーデン、フランス、ドイツを対象に、各国1000人以上の20歳から49歳の男女に対して、結婚観、子育て観などについて聞き取り調査を行った。調査結果は「令和2年少子化社会に関する国際意識調査報告書」として公表されている。この調査には、「夫は外で働き、妻は家庭を守るべきだ」という考え方にどのような意見を持っているのかという質問項目があり、回答の選択肢は、「賛成」、「どちらかと言えば賛成」、「どちらかと言えば反対」、「反対」の4つであった。スウェーデン人男性の8割以上、女性の9割以上が「反対」と回答しているのに対して、日本人は男女とも「反対」と回答していたのは2割程度であった。

このことからもわかるように、日本では暗黙裡に「家事は女性が行うもの」と考える人が依然として多いことがうかがえる。子供の世話についても日本の父親よりもスウェーデンの父親の方が頑張っているという印象がある。スウェーデンで週末に公園に行くと、公園で遊んでいる親子は父親と子供という組み合わせが圧倒的に多い。週末の公園で母親と子供という組み合わせをあまり目にすることはない。そうはいっても、子供の世話は母親が担う部分が多いので、週末は父親の育児の負担が増えるのだろう。スウェーデン男性の方が日本の男性よりも自分の余暇の時間を子育てに割いているという印象がある。なぜなら、スウェーデンでは母親と同じ程度に父親も子育てを行うことが求められているからである。

▽例外のないジェンダー平等な国 スウェーデン

スウェーデンではジェンダーの平等に例外はない。そのことを、スウェーデンの王位継承法の改正を例にご紹介したい。スウェーデンでは現国王の第一子の長女ヴィクトリアが1977年に生まれたのを契機に、王位継承法を改正する議論が始まった。それまでのスウェーデンの王位継承法では日本と同じように男子が王位を継承することになっていた。長男となるヴィクトリアの弟が１９７９年に誕生するのであるが、王位継承法改正の議論は凍結されることなく、１９８０年に王位継承法を改正して、男女の区別なく長子（第一子）が王位継承することになった。スウェーデンはジェンダー間の格差に対して非常に厳しい国である。その国で、男性は良いが女性はダメだと言っているような王位継承法が改正されたのは当然と言えば当然である。ヴィクトリアが女王になるとすると、それはスウェーデン史上初めての女王となる。このことからも、スウェーデンがいかにジェンダー平等な国を実現しようとしているかがわかる。ちなみに、スウェーデンで長子が王位を継承するように王位継承法を改正されてから、オランダやベルギーも王位継承法を改正して長子継承となった。一方、これまでの日本の皇位継承問題の議論が、ジェンダー平等という観点で議論が展開されていないのは少し残念な気がする。

ジェンダー間の格差に厳しいスウェーデンでは、経済学者で労働経済学を専門にしている研究者が古くから数多くいる。私はＰｈ．Ｄ．（博士号）取得のため１９９０年代にスウェーデンに留学した。現在の私の専門は労働経済学であるが、私が留学をした当時は労働経済学を専門にしている日本人の経済学者はそれほど多くはいなかった。１９９０年代の日本では、経済理論（マクロ経済学、ミクロ経済学）や国際経済学を専門にしている経済学者が多かった。当時の私自身も、労働経済学でなく経済発展論を勉強したいと思いスウェーデンに留学したのである。ちなみに、現在はゲーム理論や実験経済学を専門とする経済学者が世界的に増えている。私が留学した当時、日本では多くの人が労働経済学をマルクス主義の学問、マルクス経済学と同一視していた人が多い時代であった。マルクス経済学は、「資本家（金持ち）が労働者を搾取して商品を作り、資本家だけがさらに豊かになっていく」ということを説明するものだと一般的には理解されていた。ところが、スウェーデンに留学してみると、労働経済学を専門にしている経済学者が、日本で人気のあった理論経済学や国際経済学などを専門にしている経済学者よりも多くいたのである。当時のスウェーデンの労働経済学者は、女性と男性でなぜ賃金が違うのか、女性の方が男性よりも出世していないのはなぜなのか、といったテーマで研究している研究者が多数いた。つまり、労働市場においてジェンダー間の格差がなぜ存在するのか、その格差を解消するためには何をしたらよいのか、ということを研究している労働経済学者が多くいたのである。初めはなぜスウェーデンで労働経済学者が多いのかが理解できなかったが、当時からスウェーデンではジェンダー間の格差を解消することに社会の関心が高く、研究者もそのことを研究テーマにしていたことが労働経済学者が多かった理由ではないかと、スウェーデンでしばらく生活するようになってから考えるようになった。現在の日本も、以前よりは経済学者に限らず「労働」を研究対象にしている研究者が随分増えたという印象がある。これは日本人にとっても、日々生活するための糧を得るための活動である「労働」に世の中の関心が高まっている証左といえるであろう。ただ、スウェーデンほどは、ジェンダー間の格差に注目して研究をしている日本の労働経済学者は多くない。

▽結婚と同列の「サンボ」

ジェンダー平等が実現されている社会では、女性は男性に依存していないので女性の自立心が強くなる。スウェーデンの女性は、自立心が非常に強い。スウェーデン女性には、自分は女性だから男性に従うとか譲るなどという考える人は多くない。スウェーデン女性の中には体力的にも男性には負けまいとする女性がちらほらいる。

スウェーデン人にパートナーとの関係を聞くと、「妻」「夫」「彼女」「彼氏」という回答の他に「サンボ」と回答する人が多い。サンボは「一緒に暮らす」という意味の Sammanboende の短縮形で、同棲しているパートナーという意味である。スウェーデンにおけるサンボは、単に一緒に暮らしているパートナー（同棲相手）よりもう少し深い意味がある。サンボは、法的には婚姻関係を結んでいない未婚のカップルが結婚しているのと同じように共同生活をすることを意味している。結婚を法的な婚姻契約、「法律婚」と位置付けるならば、サンボは「事実婚」「同棲婚」「非法律婚」といえるであろう。スウェーデンの公式文書の婚姻の状況（配偶者の有無）を記入する欄には、「未婚」、「既婚」の他に、「サンボ」という選択肢がある。つまり、スウェーデンではサンボは正式な法律上の身分なのである。サンボに関する法律（Lag om sambors gemensamma hem）は１９８７年に制定された。現在のサンボに関する法律は、１９８７年の法律を２００３年に改訂したサンボ法（Sambolagen）である。この法律は、サンボの定義から始まり、サンボを解消した時の資産や債務の処理を含めた財産分与等について細かく規定されている。結婚していてもサンボであってもカップルが別れる際の財産分割の方法は同じである。従って、カップルが共同生活をする上で、結婚していることもサンボであることも本質的には差がない。スウェーデンにおいてはサンボが法的に結婚と同列であることを示す一例が、非ＥＵ諸国の人がスウェーデン人と付き合い始めスウェーデンで一緒に住みたいとなった時の移民局による取り扱いである。結婚しなくてもサンボであるとして移民局に申請すれば、スウェーデン国籍がない人でもスウェーデンに住むことができる。また、3年以上サンボとしてスウェーデンに住み続けた場合には、その後、サンボの関係が解消されても、パートナーとは関係なくその人はスウェーデンに住み続けることができる。もちろん、ＥＵ諸国や北欧諸国の国籍の持ち主であれば、サンボの申請やビザの申請をすることなしにスウェーデンにも住むことができる。外国人がサンボとしてスウェーデンに住む場合、その人はスウェーデン人と同じ条件で教育を含めた社会福祉サービスを受けることができる。多くの国では、国籍の違うカップルがどちらかの国に制限なく住むためには、結婚する必要がある。その意味では、サンボというのは、一緒に生活したいと思うカップルにとって非常に優しい制度であるといえる。サンボと結婚とで唯一異なるのは、どちらかが死んだ時に自動的に相手の財産が遺産として相続できないという点のみである。しかし、それも遺言状を残しておけば死亡したパートナーの遺産を相続することはできる。従って、結婚していなくてサンボという関係のまま子供を産み育てているカップルは非常に多い。サンボのカップルの子供は、いわゆる婚外子である。よくあるパターンは、サンボとして一緒に生活して子供を産み育て、子供が少し大きくなってから結婚式を挙げて結婚するというパターンである。スウェーデンの友人の結婚式に招待された時に、新郎新婦と一緒に10歳前後の子供を筆頭に計3人の子供が結婚式に参列していたことがあった。こういう形はスウェーデンではごく一般的である。カップル間の法的権利は、サンボも結婚もほとんど変わらないが、スウェーデン人に聞くと、カップルの関係としてサンボと結婚とでは全く違うというのだ。彼らが言うには、「相手に対する深い愛情をお互いに確認できた時（永遠の愛を確認できた時）、あるいは一生一緒に過ごしたいとお互いが確信できた時に結婚に踏み切る」という。つまり、パートナーとより強い精神的な繋がりを持ち続けたいと思った段階で、結婚に踏み切るというのだ。パートナーとの間に子供をもうけることと以上に結婚というのはスウェーデン人にとってハードルが高いのである。

▽離婚を躊躇しないスウェーデン女性

たとえ、永遠の愛を確認して結婚したとしても、離婚するカップルはスウェーデンには多数いる。手続き上、スウェーデンで離婚することは日本で離婚する場合と比べるとはるかに容易である。日本で離婚する場合、たとえ共働きであったとしても、原因や理由の如何を問わず多くの場合、離婚慰謝料が発生する。離婚原因のある側が、相手に離婚慰謝料を支払う義務が生じる。また、離婚を切り出された方が離婚することを拒否すれば、離婚は成立しない。女性が経済的に男性に大きく依存している場合、特に妻が専業主婦の場合には離婚してしまうと経済的に生活が成り立たなくなってしまうため、よほどの理由がない限り夫から離婚を切り出されても離婚しないケースが日本では非常に多い。しかし、本当に男性と女性が対等であるならば、経済的な理由から離婚を拒否したり、離婚する際の慰謝料が発生したりすることはないはずである。スウェーデンでは夫婦の一方が結婚生活を解消したいと離婚の申立を行えば、相手方がそれに同意しなくても2年間以上別居が続けば、自動的に離婚できることになっている。加えて、日本で一般的な離婚慰謝料というものが、離婚の原因や理由にかかわらず、スウェーデンでは一般的ではない。スウェーデンでは夫も妻も経済的に自立していて対等である上に、片方の気持ちが離れてしまったのであれば婚姻状態を維持することには意味がないとスウェーデン人は考えるからである。

経済的な理由に加えて、日本では子供がいる夫婦が離婚を躊躇する大きな理由として親権に関する問題が大きい。日本では離婚後は、父親か母親のいずれかが親権を有する片親親権であるため、離婚後に親権を持たない親と子供が引き離されるケースが非常に多い。子供と引き離されてしまうかもしれないということで離婚を躊躇する人が日本では多い。加えて、スウェーデンとは異なり、親が負担しなくてはならない教育費を含む養育費が大きいことも日本で離婚を躊躇する人が多い理由の一つである。スウェーデンでは子供に対する親権が離婚後も共同親権であるので子供と会えなくなるということはない。従って、子供がいることを理由に離婚を躊躇することはない。実際スウェーデンでは、離婚後に両親は別居はするものの子供は両親のところを行ったり来たりするのが一般的である。よくあるパターンが、1週間ごとに子供が母親のところと父親のところに住むという形態である。子供がまだ小さければ、金曜日の夕方の学校が終わる時間に例えば父親が学校まで子供を迎えに行って次の1週間は子供は父親と一緒に過ごす。翌週の金曜日の夕方に今度は母親が子供を学校に迎えに行って、次の1週間は母親と一緒に子供は過ごす。子供は1週間ごとに母親と父親のところから学校に通うのである。従って離婚後に両親は別々のところに住むものの、子供が学校を変更せずに同じ学校に通えるように近くに住むことになる。また、スウェーデンでは子供は社会が育てるという考えから、毎月子供1人当たりに子供手当が支給される。学校の授業料は無料なので、親が負う子育てに関する経済的負担は日本の親と比べてはるかに小さい。離婚の際に日本人が懸念する経済的な問題や子供の親権に関する問題は、ジェンダー平等なスウェーデンには存在しないといえる。

子供がいてもスウェーデン人が離婚を躊躇しない理由として、離婚しても経済的な不安がないことと共同親権であることを挙げた。そのことに加えて、スウェーデン人が離婚を躊躇しないのは、スウェーデン人が日本人ほど「子供のために自分を犠牲にする」とか「子供がいるから自分のやりたいことを我慢する」という風に考えて行動しないからだと私は感じている。1990年代に私が実際に目にした非常に驚いた光景をいくつか紹介したいと思う。日本のディスコやクラブのようなバーやナイトクラブなどに行った時に考えられないような光景を目にすることが頻繁にあった。ベビーカーにまだ歩けないような赤ちゃんをのせてバーやディスコに来てお酒を飲んだり踊ったりしている親がいるのである。カップルで来ている人も、片方の親だけで来ている人もいた。夜も遅いので子供はベビーカーの中で寝ていることが多かったが、大音響の中でよく寝れるものだなあと感心したのを覚えている。それ以上に驚いたのはスキー場のリフト降り場で見たベビーカーの赤ちゃんである。リフトを降りたところに、ポツンとベビーカーが置いてあったので中をのぞくと赤ちゃんが寝ていた。どうしたものかとしばらく考えていたら、カップルがリフトから降りてきてベビーカーをのぞき込んで赤ちゃんに声をかけていた。彼らは赤ちゃんが元気でいることを確認してから滑って行ってしまった。滑って行ったカップルはベビーカーの赤ちゃんの親だったのだと思う。自分たちがスキーをするのに赤ちゃんをベビーカーに乗せてリフト降り場まで連れて行って、スキーを楽しんでいるのである。おそらく、リフト降り場なら子供を誘拐されないと思ったのであろう。とにかく、非常に驚いたのを覚えている。また、日本ではほとんど見たことがないのだが、ここ数年ベビーカーを押しながらランニングする人や自転車にベビーカーを付けてサイクリングをしている人をよく見かける。10年以上前からスウェーデンではランニングやサイクリングがブームである。環境にやさしいということと健康志向が相まって自転車やランニングで職場に出勤する人が増え続けていて、朝夕のラッシュアワーには自転車の長い列ができるほどだ。子供の面倒を見なくてはならないがランニングしたい人やサイクリングしたい人向けに、スウェーデンでは走りながら押しても大丈夫なベビーカーや自転車に取り付けることができるベビーカーが開発されて、数年前から販売されている。ランニング用のベビーカーはタイヤが太くて大きく、走りながら片手で押しても大丈夫なような構造になっている。自転車用ベビーカーは車高が低く自転車の荷台付近に取り付けてベビーカーを引っ張るような感じで利用する。街中、公園、森の中でベビーカーを押しながらランニングしている人やベビーカーを付けてサイクリングしている人をよく見かける。冬仕様のスパイクタイヤも販売されているので、夏だけでなく氷点下になる冬にもベビーカーを押しながら走っている人やサイクリングをしている人を見かける。ランニング用ベビーカーや自転車用ベビーカーは、たとえ子供が小さくても、ランニングやサイクリングをしたいという親のニーズから開発・販売されたのであろう。以上ご紹介したように、子供がいることが制約になってバーやディスコに行かないとか、スキーに行かないとか、ジョギングやサイクリングをしないということはスウェーデンではないのである。スウェーデン人の親は、母親であろうが父親であろうが、子供がいてもいなくても自分がやりたいことを可能な限りやるという印象を私は持っている。

第五章　ダイバーシティ先進国

▽多様性を尊重する国　スウェーデン

本章では、スウェーデンがどのようにして差別のないフェアな社会、言い換えると、「ダイバーシティ社会」を実現してきたのかをみていく。第四章ではジェンダー平等という視点で、女性と男性の格差や差別についてみてきたが、ジェンダー平等の実現はダイバーシティ社会の実現の一部分にすぎない。ダイバーシティに関して女性以外の側面、つまり、外国人、障害者、LGBTに焦点を当て、スウェーデンがどのようにして差別のないフェアな社会を実現したのか、その結果マイノリティの人たちに対してスウェーデン社会がいかにフェアであるのかをお示ししたい。

最近、「ダイバーシティ（多様性）」ということばをよく耳にする。ダイバーシティというコンセプトや取り組みは1960年代の米国で始まったものである。1960年代の米国のダイバーシティの目的は、有色人種や女性などのマイノリティの雇用機会均等を確保し、差別の是正や人権を尊重することであった。日本では当初ダイバーシティは、主として女性の労働市場における差別の是正に主眼が置かれていた。第四章でご紹介したように、様々な法律が制定され、女性の社会参加を促進しジェンダー平等な社会を実現することが唱えられた。２０１７年には、日本経済団体連合会（経団連）が「ダイバーシティ・インクルージョン社会の実現に向けて」という提言を発表した。その中で、ダイバーシティ・インクルージョン社会の実現は日本にとっての最重要課題の一つであり、「本提言を受けて、今後、各社の取り組みが加速することを期待したい」としている。ダイバーシティとして、女性、若者、高齢者、外国人、障害者、ＬＧＢＴなど、あらゆる人材を組織が受け入れることを推奨している。また、経済産業省では、ダイバーシティ経営を「多様な人材を活かし、その能力が最大限発揮できる機会を提供することで、イノベーションを生み出し、価値創造につなげている経営」と定義している。「多様な人材」とは、性別、年齢、人種や国籍、障がいの有無、性的指向、宗教・信条、価値観などの多様性だけでなく、キャリアや経験、働き方などの多様性も含むとし、その上で、日本経済の持続的成長にとって「ダイバーシティ経営」は不可欠であるとしている。以下では、ダイバーシティについてスウェーデンと日本を比較してみたい。

▽フェアな移民への対応

はじめに、外国人に関するダイバーシティについてみていきたい。序章でもふれたように、スウェーデンには移民が多く、スウェーデン人口の3分の1以上がスウェーデン以外の国をルーツに持つ人たちである。つまり、全国民の3分の1以上がスウェーデンへ移住してきた人や移住してきた人たちから生まれた子供たちなのである。ＯＥＣＤのデータによれば２０１９年のスウェーデンの総人口に占める外国籍を有する人たちの割合は９・３％であった。つまり、スウェーデンに移住してきた人たちの多くはスウェーデン国籍に国籍を変更している人が多いということである。それに対して、日本は外国生まれで日本国籍を有している人や外国籍の人の割合が非常に低い国である。ＯＥＣＤの同データによれば、２０１９年の日本における外国籍の人口割合は２・２％であった。このように日本はスウェーデンと比べて同質的な人たちで構成されている国なのである。反対に、スウェーデンは宗教、文化、慣習などが異なるバックグランドを持つ人たちで構成されている同質的ではない国である。

スウェーデンが外国人の受け入れに対して寛容なのは、歴史的な背景がある。スウェーデンでは18世紀半ば以降、公衆衛生の改善等に伴い人口が増加した。しかし、天候不順による農作物の不作が断続的に続き、全てのスウェーデン人を養うだけの十分な食料が供給できなかった。食料を求めて、全人口の約4分の1に相当する約150万人のスウェーデン人が1851年から1930年にかけてスウェーデンからアメリカを中心に国外へ移住した。アメリカへ移住したスウェーデン人の行き先として、ミネソタ州やイリノイ州が多かった。このことを反映してか、スウェーデン人の苗字としては非常に一般的な「Svensson」「Johansson」といった苗字を持つアメリカ人がこれらの州で多く暮らしている。食糧不足による国外への移民の経験が、移民に対してスウェーデンが寛容である理由の一つであると一般的にいわれている。

第二次世界戦までのスウェーデンは、受入れ移民数よりもスウェーデンから他の国へ移住する人の方が多かった。しかし第二次世界戦後はこれが逆転し、今日ではスウェーデンから他国へ移住する人たちよりも受入れ移民数の方が圧倒的に多い。スウェーデンへの移民は、1950年代にはフィンランドやバルト3国からの就労目的の移住者がその中心であった。1960年代になると、国内の労働需要の高まりから東欧諸国を中心にユーゴスラビア、トルコ、ギリシャなどから家付きで労働者の移住を勧誘した。1970年代以降は、就労目的の移住者ではなく政治亡命者や難民が移住者の大半を占めるようになった。出身国別にみてみると、1970年代はシリア人、クルド人、トルコ人、1980年代はイラン人、イラク人、1990年代はボスニア・ヘルツェゴビナ、コソボ、マケドニア、2000年以降はアフガニスタン、アゼルバイジャン、ソマリア、といった国からの難民や移民がそれぞれの時代の多数派であった。２００６年以降のスウェーデンへの移民の規模は10万人規模であり、全人口の約１％に相当する移民を受け入れてきた。最も移民が多かったのが２０１６年の16万人であった。２０１６年に移民数が急増したのは、２０１５年に亡命希望者が多かったためである。２０１５年の亡命希望者の３分の１以上が、シリアの内戦に伴うシリアからの亡命希望者であった。２０００年以降、スウェーデンの人口は約１５０万人増加したが、そのほとんどが移民の増加によるものであったといえる。

理由のいかんにかかわらず、スウェーデン政府がスウェーデンで生活することを認めた人に対しては、その人たちがスウェーデン人と同等の社会的サービスを受けることはもちろんのこと、スウェーデン人には起こりえないような不利益が発生しないように様々なサービスが提供されている。中央政府のホームページは２０２１年12月時点でスウェーデン語と英語以外の17カ国語で記載されている。スウェーデンに亡命した移民への配慮から17カ国語の中には、英語、フランス語、ドイツ語、スペイン語以外に、アラビア語、クロアチア語、セルビア語、ソマリア語、ペルシア語、ボスニア語などの言語が含まれている。加えて、移住してきた人たちの2世（子供たち）が出身国の言葉を忘れてしまわないように、「母国語」を学ぶ機会が無料で提供されている。さらには、移住してきた人が病気、出産等で病院を訪れる際にコミュニケーションが取れないことで不利益が生じないように、必要であれば「母国語の通訳サービス」を無料で提供している。1990年代の留学中に我々夫婦は第一子を授かったのであるが、その出産前の健診を受けるのに必要であれば「日本語の通訳」を付けるという申し出を受けた。幸い我々夫婦はスウェーデン語ないし英語でコミュニケーションが取れたので通訳をお願いはしなかったが、今思い起こすと、外国から来た人がスウェーデンにいることで感じる不安を少しでも軽減しようという手厚いサービスであったと思う。

スウェーデンではスウェーデン国籍を持っていない外国人に対しても、3年以上スウェーデンに住んでいれば、地方参政権が付与されることは第3章で述べた。特筆すべきは、今から約50年前の1975年から地方参政権が外国人に与えられていることである。ただし、国政選挙に関する参政権はスウェーデン国籍を有している人のみに限られている。国籍に関係なく、税金を負担して生活をしている人が自分の住んでいる地域の地方選挙に参加する権利を付与されるのは当然と言えば当然である。しかし、日本では国政選挙はもちろんのこと地方選挙の参政権を得るためには日本国籍を有していることが条件である。日本で地方参政権を得るためには、自分の国籍を捨て日本国籍を取得して日本人にならなければならないのである。このような閉鎖的な考えでは、今後日本は世界で相手にされなくなってしまうのではないかという強い危惧を私は抱いている。

様々なバックグランドを持つ移民が増えてくると、いろいろな問題や衝突が発生した。そのことを背景に、１９９０年代以降、多様性を重んじる政策、言い換えると、差別を禁止する法的枠組みや制度が次々と制定されていく。現在のスウェーデンにおいて、「差別法(Diskrimineringslag)」と「差別オンブズマン（Diskrimineringsombudsmannen）」[1]が差別を抑止するための法的枠組みである。２００８年に制定され、２００９年1月1日より施行された差別法は、それまであった差別を禁止する7つの法律が統合されて成立した。差別法では、個人の属性である「性別」、「外見」、「人種」、「宗教や信念」、「年齢」、「ハンディキャップの有無」、「性に関する志向」、「性転換の有無」、「子供の有無」、「家族の構成」などを理由に差別することを禁止している。差別法の目的は、全ての人に同等の権利と機会が提供される環境を実現することである。差別法の実効性を高めるために、同法では差別行為を監視する差別オンブズマンの役割が明確に規定されている。差別オンブズマンは、労働省（Arbetsmarknadsdepartementet）管轄の政府機関ではあるが、政府や労働省からの干渉を全く受けない完全に独立した組織である。差別オンブズマンの職務の目的は、差別がいかなる状況においても行われていないかを監視・監督することである。２０２２年現在、１００人を超える職員やスタッフが差別オンブズマンとして働いている。差別的な扱いを受けた人は差別オンブズマンに訴えを起こすことができる。その訴えに対して、差別オンブズマンが「差別があった」と判断した場合には、差別オンブズマンは是正のための勧告や指導を、差別を行った企業や学校に対して行うのである。必要であれば、差別を受けた人の代理人として差別オンブズマンが裁判に参加することもある。このように、スウェーデンでは社会全体として差別に対して厳しく対処しており、ダイバーシティを尊重し、推進していこうとしていることがよくわかる。

一方、本章の冒頭で記したように、2019年の日本における外国籍の人口割合は2・2%であった。また総務省統計局と出入国在留管理庁のデータに基づいた2021年6月の在留外国人の人口割合も2・2%であった。(2) 日本は、外国人の人口割合がOECD諸国の中でも最も小さい国の一つであるが、それは外国籍の人の日本への流入を厳しく制限しているからである。実際に、日本に住んで活動するための在留資格（ビザ）の取得は非常に困難である。その極端な例が、難民申請をした人たちの難民認定数である。2020年はコロナ禍のため、難民申請者が3936人と非常に少なかったが、難民認定者数は47人で認定率はわずか1・19%であった。2010年以降で最も認定率が低かったのが2017年である。難民申請者数1万9629人、難民認定者が20人、認定率は僅か0・1%であった。人口が約1000万人と日本の人口の12分の1

以下のスウェーデンが難民を含めた移民を毎年10万人以降も受け入れているのとは規模が違い過ぎる。日本は日本人ではない外国人を受け入れることに非常に消極的な国なのである。つまり、日本には人種や国籍の多様性を高めてダイバーシティを推進させようとする気はさらさらないのである。たとえ日本国籍を持たない人が日本に住むことを許可されたとしても、日本国籍を持たない人には日本人と同等の権利が与えられていない（その代表的なものが、外国人参政権であるが、これについては既に第三章で記述しているのでそちらを参照されたい）。このような状況で、日本に長く住み続けたいと考える外国人はどれだけいるだろうか。現在の日本で外国人が置かれている状況からは、人種や国籍という観点からダイバーシティを推し進める気など日本には全くないように感じられる。

▽障害者の雇用

次に障害者に関するダイバーシティについてスウェーデンと日本を比較してみたい。特に障害者の雇用の面に注目して日本とスウェーデンの比較を行いたい。

ダイバーシティが進んでいるということは、障害の有無に関係なく全ての人が社会に参加し、社会に何らかの形で貢献しているということである。ＷＨＯによると、世界人口の15％以上に相当する10億人以上の人が何らかの障害を有しており、15歳以上の3・8％の人が重度の障害を有している。近年、世界各国で障害を持つ人は増え続けているのが、その中でも特に精神障害を患う人たちの増加傾向が著しい。このような状況の中、世界各国で障害者が積極的に社会に参加・貢献できる共生社会の構築が叫ばれている。障害者の社会参加は、障害者個人にとっても社会にとっても重要である。障害者が職を得て社会に貢献し経済的に自立することは障害者のウェルビーイングを高める。また少子化と高齢化で今後労働人口が減少し非労働人口が増加することが見込まれる中で、社会にとって障害者は貴重な労働資源である。つまり、障害者に雇用機会を提供し障害者が働くことは障害者自身のみならず、経済活動の維持・拡大という意味で社会にとっても重要なのである。しかし現状では、障害者の労働参加の水準や就業率が障害を持たない人(以下、「非障害者」と記す)のそれと同程度の国は存在しない。その中でもとりわけスウェーデンの障害者の労働参加率と就業率は世界で最も高い水準にある。一方、日本における障害雇用の現状はOECD諸国の中でも最も低い。

表5-1はスウェーデンの15歳から64歳の年齢層の障害者が労働市場で置かれている状況を時系列でまとめたものである。表から明らかなように、15歳から64歳の人のうち、障害を有している人の割合が15％程度以上存在している。つまり、15歳から64歳の7人に1人以上が障害を有し

表５－１　スウェーデン　障害者の雇用状況

(%)

年	全雇用者に占める雇用障害者割合	労働参加率		就業率		失業率	
		障害者	非障害者	障害者	非障害者	障害者	非障害者
2000	19.2	N.A.	N.A.	67.1	76.8	N.A.	N.A.
2002	18.2	N.A.	N.A.	64.9	76.8	N.A.	N.A.
2004	15.9	N.A.	N.A.	61.6	75.5	N.A.	N.A.
2006	13.2	68.7	81.9	62.9	76.8	8.5	6.2
2008	12.8	67.5	82.3	61.8	77.1	8.4	6.4
2013	13.3	69.0	86.3	62.0	79.4	10.2	8.0
2014	12.8	69.2	86.7	62.0	80.2	10.5	7.5
2015	12.6	68.5	87.0	61.8	80.6	9.9	7.3
2016	12.0	69.6	87.5	62.4	81.6	10.4	6.8
2017	11.8	68.2	86.7	62.2	80.9	8.7	6.6
2018	9.7	71.4	87.0	63.6	81.8	11.0	5.9
2019	11.1	74.7	86.1	68.7	80.9	7.8	6.1
2020	14.0	73.9	85.8	67.2	78.4	9.1	8.6
2021	16.4	79.2	86.0	70.7	78.7	10.8	8.4

出所：スウェーデン職業安定所のデータを基に作成。

ているということである。また、全雇用労働者に占める障害者の割合も10％を超える水準で推移しており、２０２１年は16・４％であった。つまり、仕事に就いている人の６人に１人が障害者であるということである。労働参加率とは、15歳から64歳の人のうち、どのくらいの人が労働市場で活動しているのかという割合である。労働市場で活動しているというのは、仕事についているか、あるいは仕事探しをしているかのいずれかの状態にあるということである。就業率は、15歳から64歳の人のうち、どのくらいの割合の人が職について働いているかという割合である。障害者の労働参加率と就業率のいずれもが、非障害者のそれと比べて低い水準にあることが表からみてとれる。２０２１年の障害者の労働参加率と就業率はそれぞれ79・２％と70・７％であるのに対して、非障害者のそれは86％と

78・7％であった。ただ、障害者の労働参加率が約7割、就業率についても6割以上で推移しているこの水準はOECD諸国の中で最も高い水準である。失業率に関しては、2021年の障害者の失業率が10・8％であったのに対して、非障害者のそれは8・4％であった。2006年以降、確かに障害者の失業率の方が非障害者の失業率よりも高いが、その差はそれほど大きなものではない。このことは、障害者を取り巻く環境が非障害者と比べて特に厳しいという状況ではないことを意味している。

一方、日本の障害者が置かれている状況はスウェーデンと比較すると、かなり見劣りがする。厚労省によると、日本の障害者数は2016年のデータが最も新しい。2016年の障害者の概数は、身体障害者436万人、知的障害者109万人、精神障害者419万人であり、合計964万人が障害者であった。2016年の総人口が1億2693万人であったので、障害を持つ人の割合は約7・6％ということになる。2016年には13人に1人が何らかの障害を有していたのである。また、身体障害者数、知的障害者数、精神障害者数は全て増加傾向にある。身体障害者は1996年の300万人から2016年には50％以上多い436万人に、知的障害者は1995年の30万人から2016年には4倍弱の109万人に、精神障害者は1999年の170万人から2016年には約2・5倍の419万人まで増加している。2021年に雇用されていた障害者は、民間部門と公共部門など全て合わせて59・8万人であった。この59・8万人という就労者数は2021年の全就業者6667万人の0・9％に過ぎない。

日本では、これまで法定障害者雇用率を企業や組織に達成させることで障害者の雇用の拡大を図ってきた。法定障害者雇用率は企業や組織が雇用する従業員の一定割合が障害を持つ労働者でなくてはならないというものである。法定障害者雇用率が導入された1960年当初は努力目標であったが、1976年には法定障害者雇用率を満たすことが法的義務となった。1976年当時の法定障害者雇用率は民間企業が1・5％、公的機関が1・8〜1・9％であったが、その後少しずつ引き上げられて、2021年4月に民間企業が2・3％、公的機関が2・6％となった。2020年の日本の平均就業人口は6667万人であったので、2021年時点で民間企業に課されていた最も低い法定障害者雇用率2・3％を適用して計算すると、その数は153・3万人である。従って、153・3万人より多い障害者が社会全体で雇用されていなくてはならないはずである。しかし、先ほど記したように2021年に雇用されていた障害者は59・8万人であった。しかもこの59・8万人というのは、民間部門以外の公共部門なども含めた障害を持つ人全ての雇用者数である。つまり、現在の日本では、法律で定められているにもかかわらず、企業や組織では本来雇用しなくてはならない障害者数をはるかに下回る数の障害者しか雇用されていないということなのである。実際、法定障害者雇用率を達成している民間企業は民間企業全体の47・0％にすぎない。つまり、約半分の民間企業は法定障害者雇用率を満たすだけの障害者を雇用していないのである。さらに、法定障害者雇用率を満たしていない企業の57・7％が障害者を一人も雇用していないというのである。法律で定められているにもかかわらず、その水準を達成していない、達成しようとしていない企業が日本でいかに多いかということである。この傾向は、民間企業に限った話ではない。民間企業よりも率先して障害者を雇用すべきである公共部門は民間企業よりもひどい状況であった。2018年8月に障害者の雇用数を中央省庁が水増ししていた問題が発覚する。障害者雇用が法定障害者雇用率で義務化された1976年以降、ほとんどの中央省庁で雇用している障害者数の水増しが行われていた。その中で最もひどい状況であったのは、外務省である。外務省では本来雇用すべき水準の15％程度の障害者しか雇用していなかった。さらに重大な問題なのは、法の番人である全国の裁判所でも、2018年8月の発覚時点までの42年に渡って障害者雇用の水増しが行われ、本来雇用すべき障害者の3分の1程度しか雇用していなかったことである。

先ほどの表5-1からも明らかなように、スウェーデンでは、全雇用労働者の10％以上が障害を持つ労働者である。日本で仮に2・6％という2021年の最も高い法定障害者雇用率で障害者が雇用されていたとしても、スウェーデンの水準には遠く及ばない。日本の障害者雇用の水準はあまりにも低い。さらに日本では雇用している障害者の数を障害の程度によってはダブルカウントできることになっている。つまり、人数としては1人しか雇用していないにもかかわらず、障害の程度が重い人を雇用している場合には2人として計算できるのである。2020年に雇用されている障害者数59・8万人は法定障害者雇用率を計算する際の障害者の雇用数であり、実際の人数は約10万人も少ない50万人であった。それでも、雇用される障害者数という「雇用の量」は拡大し続けている。しかし、「雇用の質」という側面では、日本においては障害者の労働条件は非障害者と同等といえるような状況にはない。総務省統計局と厚生労働省によれば、2018年の非障害者の約62％が正規雇用であったのに対して、障害者の正規雇用は52・5％であった。また、厚生労働省によれば、賃金水準についても、非障害者の月額平均賃金は30万6000万円であったのに対して、障害者の中でも最も高い身体障害者の月額平均賃金は21万5000万円であった。スウェーデンに関していえば、雇用契約の形態や賃金水準等の労働条件に関して、障害の有無による差は存在しない。

これまでお示ししたように、日本では雇用すべき障害者の数が法律で定められていても、半分以上の企業や組織がその基準を満たしていない。さらに基準を満たしていない企業や組織の6割近くが障害者を一人も雇用していない。公共部門に至っては法定障害者雇用率の達成が義務化されてから問題が発覚する2018年まで40年以降に渡って障害者雇用数の水増しが行われてきた。雇用者数だけではなく給与や契約条件などの待遇面でも、障害者と非障害者の労働者では大きな格差が存在している。このような日本の現状をみると、日本では障害者に関して真剣にダイバーシティを推し進めようとしているとは到底思えない。一方、スウェーデンには障害者の雇用を義務付ける法律はないにもかかわらず、日本よりもはるかに多くの障害者が雇用されているし、雇用条件も非障害者との間に格差は存在しない。

日本をはじめとする多くの国では、雇用主に障害者の雇用を義務付ける「障害者割当雇用制度」を法律で定めて、障害者の雇用拡大を図っている。しかし、スウェーデンには障害者の雇用を義務付ける法律は存在しない。スウェーデンにあるのは、障害者を差別してはいけないという「差別禁止法」のみである。多くの先行研究で示されているのは、差別を禁止する法律には障害者の雇用増加を促す効果はないということである。しかし、スウェーデンがＯＥＣＤ諸国の中で最も高い水準の障害者雇用を実現しているのは、ダイバーシティが「当たり前のこと」として社会で受け入れられているからではないだろうか。

▽ＬＧＢＴを受け入れる社会

次にＬＧＢＴに関するダイバーシティについてスウェーデンと日本を比較してみたい。

ＯＥＣＤの調査で示されているが、世界的にＬＧＢＴの人たちの割合は増加している。若い人ほど自分がＬＧＢＴであることを公表する人が多いので、今後もＬＧＢＴの人たちの割合は増加し続けていくであろう。ＯＥＣＤ諸国では、ＬＧＢＴを受け入れるような法改正が次々と行われ、社会としてＬＧＢＴに対して肯定的な姿勢を持つ人たちが増加し続けている。ＯＥＣＤでは、ＯＥＣＤ各国のホモセクシャル（同性愛）に対する寛容度をランキングしている。ホモセクシャルに対する寛容度は、ホモセクシャルを受け入れられるかどうかに関する様々な調査からまとめられたものである。寛容度の値１は「ホモセクシャルを全く受け入れることができないこと」を意味し、寛容度の値10は「ホモセクシャルを問題なく受け入れることができること」を意味している。ＯＥＣＤでは、①１９８１年から２０００年までの平均値、および②２００１年から２０１４年までの平均値、を用いてホモセクシャルに対する寛容度についてＯＥＣＤ諸国をランキングしている。それをまとめたのが表5-2である。ＯＥＣＤ全体の平均値は、①が４・０、②が５・１である。イタリア、ギリシャ、チェコ以外の全てのＯＥＣＤ諸国で①よりも②の寛容度の値の方が高くなっている。つまり、多くのＯＥＣＤ諸国では、ホモセクシャルに対する寛容度が高くなっているのである。スウェーデンは、①でも②でもＯＥＣＤ諸国の中で２番目にホモセクシャルに対する寛容度の値が高い国であった。また、スウェーデンはＯＥＣＤ諸国の中で最も①と②の差が大きい国でもあった。つまり、スウェーデンが２つの期間を通じてＯＥＣＤ諸国の中でホモセクシャルに対して最も寛容になった国であったといえる。一方、日本は①についても②についてもＯＥＣＤ諸国の中でホモセクシャルに対する寛容度が25番目であった。確かに①よりも②の方が寛容度の値は高くなってはいるが、その値はそれぞれ、３・２と４・８である。スウェーデンの５・９と８・１から見ると、かなり低い寛容さといえるだろう。スウェーデン以外の北欧諸国もホモセクシャルに対して寛容である。２００１年から２０１４年の平均値である②では１位がアイスランド、２位がスウェーデン、４位がノルウェー、５位がデンマーク、8位がフィンランドであった。

スウェーデンはこれまで様々な改革を行ってＬＧＢＴの人たちの権利を拡充してきた。特にＬＧＢＴの人たちにもＬＧＢＴでない人と同等の権利を保障するように、差別を禁止する法律や家族法の制定を行ってきた。１９４４年に同性愛者間の性的関係が合法化され、同性愛者間での性的行為が犯罪行為ではなくなった。しかし、この時点でも、依然として同性愛は一種の病気であると考えられていた。１９７２年には、ジェンダー（性別）の変更を合法的に許可した世界で初

表5-2　ホモセクシャル（同性愛）に対する寛容度

順位	国名	① 1981-2000	② 2001-2014	②-① 増加幅
	OECDの平均値	4.0	5.1	1.2
1	アイスランド	5.3	8.3	3.0
2	スウェーデン	5.9	8.1	2.2
3	オランダ	6.9	7.6	0.7
4	ノルウェー	4.5	7.4	2.9
5	デンマーク	5.5	7.3	1.8
6	スイス	5.3	6.8	1.5
7	スペイン	4.6	6.6	2.0
8	フィンランド	4.3	6.3	1.9
9	ルクセンブルク	5.9	6.3	0.4
10	オーストラリア	4.2	6.3	2.1
11	フランス	4.1	6.1	2.0
12	ドイツ	5.0	6.0	1.0
13	ベルギー	4.1	5.8	1.7
14	カナダ	4.2	5.7	1.5
15	ニュージーランド	4.7	5.7	0.9
16	オーストリア	4.3	5.3	1.0
17	アイルランド	3.4	5.2	1.8
18	イギリス	4.0	5.2	1.2
19	チリ	3.0	5.1	2.1
20	スロバキア	4.2	5.1	0.9
21	アメリカ	3.5	5.0	1.5
22	チェコ	5.4	5.0	-0.5
23	スロベニア	3.8	4.9	1.1
24	イスラエル	N.A.	4.9	N.A.
25	日本	3.2	4.8	1.6
26	メキシコ	2.9	4.7	1.8
27	ポルトガル	2.8	4.3	1.5
28	ギリシャ	4.9	3.9	-1.1
29	ハンガリー	2.3	3.7	1.4
30	イタリア	3.7	3.3	-0.3
31	ポーランド	2.3	3.2	0.8
32	韓国	2.0	2.8	0.9
33	エストニア	2.5	2.8	0.3
34	リトビア	2.2	2.4	0.2
35	リトアニア	1.7	2.0	0.3
36	トルコ	1.6	1.6	0.0

出典：OECD　Socieity at a Glance 2019のデータを基に作成。

めての法律である性別識別法（Lag om fastställande av könstillhörighet i vissa fall）が制定された。この法律の先進的なところは、ジェンダー（性別）の変更を行う際に生殖腺の機能を取り除く外科的な手術を行うことをジェンダー変更の要件としなかった点である。さらには、社会庁（Socialstyrelsen）が「同性愛はもはや精神障害ではない」という政府見解を１９７９年に発表した。１９８７年には、同性愛指向（後に性的指向に変更）を理由とする差別がスウェーデン刑法の規定に含まれることになった。これは、性的志向を理由にした差別が犯罪となることを意味している。１９８８年に同性愛者同棲法（Lag om homosexuella sambor）が、１９９５年には登録パートナーシップ法（Lag om registrerat partnerskap）が施行された。１９９９年には、性的指向を理由とする差別オンブズマン（Ombudsmannen mot diskriminering på grund av sexuell läggning、HomO）が設立された。２００３年には、同棲法が改定され同性カップルの養子縁組が認められた。２００９年にはジェンダーニュートラルな婚姻法が施行され、２０１１年には性的指向に関連する差別の禁止がスウェーデン憲法に追加された。２０１９年にはトランスジェンダーの人々のヘイト犯罪を厳しく禁じることをスウェーデンの基本法の一つである「報道の自由法」に明記した。このように、スウェーデンではＬＧＢＴの人たちへの差別や偏見に起因する生きづらさを少しでも軽減し、ＬＧＢＴの人々の平等な権利を促進するために新たに法律を制定したり、既存の法律を改定したりしてきた。スウェーデンは現在世界で最もＬＧＢＴの人たちの権利が保証されている国である。と同時に、社会全体でＬＧＢＴの人たちを受け入れてきた結果、スウェーデンは世界で最もＬＧＢＴに寛容な国となったのである。

一方、日本はＯＥＣＤ諸国の中でもＬＧＢＴに対して不寛容な国である。参議院法務委員会の調査によれば、日本のＬＧＢＴの人口規模は全人口の８％程度となっている。ＬＧＢＴに関連する法律としては、日本でも性同一性障害者の戸籍上の性別変更が可能となる法律が２００４年から施行された。スウェーデンから遅れること30年以上も経過してからの法制化である。しかし、性別変更のための要件はスウェーデンと比較すると非常に厳しいものである。６つある要件の中で、スウェーデンの性別変更の要件には存在せず、スウェーデンであったら人権侵害に相当すると思われる要件が下記の４つである。つまり、①現に婚姻をしていないこと、②現に未成年の子がいないこと、③生殖腺がないこと又は生殖腺の機能を永続的に欠く状態にあること、④他の性別の性器の部分に近似する外観を備えていること、である。②の意味するところは、実子や養子に関係なく未成年の子供がいる場合には性別変更できないということである。③と④は、性別変更のためには外科的な手術を行う必要があることを意味している。スウェーデンで行う性別変更の手続きと比較して、日本での性別変更の要件がいかに非人道的であるかがわかる。加えて、日本ではいまだＬＧＢＴに対する差別を禁じる法律や同性婚を認める法律は制定されていない。日本に存在するのは地方自治体が独自に行っているパートナーシップ制度だけである。パートナーシップ制度とは、「自治体が同性同士のカップルを婚姻に相当する関係と認め証明書を発行する制度」である。パートナーシップ制度は２０１５年に東京都の渋谷区と世田谷区で初めて導入され、その後全国的な広がりを見せている。渋谷区が中心になって定期的に行っている全国パートナーシップ制度共同調査によれば、２０２２年3月末時点で全国２０９の自治体、全人口の5割以上をカバーする規模でパートナーシップ制度が施行されている。しかし、日本のＬＧＢＴに対する法的な枠組みは、非常に制約的でＬＧＢＴを社会で受け入れようとしているようには思えない。ＬＧＢＴに対するスウェーデンの取り組みと比較して、日本がいかにマイノリティの人たちに対して閉鎖的であるかがＬＧＢＴのケースでもよくわかる。

▽インクルージョン

ダイバーシティを推し進めるということは、性別、年齢、人種や国籍、障害の有無、性的指向、宗教・信条、価値観などの違いを尊重するということである。言い換えれば、性別、年齢、人種や国籍、障害の有無、性的指向、宗教・信条、価値観などの観点で「普通でない人」、いわゆるマイノリティを偏見なしに受け入れるということである。

「普通ではない人」に対する考え方として、北欧諸国を中心に広まった「ノーマリゼーション(Normalisation)」という考え方である。ノーマリゼーションはマイノリティの中でも特に障害者に対する社会のあるべき姿勢を示したものである。ノーマリゼーションは、デンマークで１９５９年に制定された「知的障害者福祉法（59-loven om åndssvage og andre særligt svagt begavede)」の中で、「Normalisering」という単語として初めて登場する。同法は、デンマーク社会省で知的障害者施設に関する業務を担当していたニルス・エリク・バンク－ミケルセン（Niels Erik Bank-Mikkelsen）が中心になって制定された。ノーマリゼーションとは、「障害を持っている人が障害を持っていない人と同じような生活を送ることができる社会を実現するための取り組み」である。デンマークで生まれたノーマリゼーションという考え方は、１９６０年代以降、北欧諸国に伝播していった。その過程で、ノーマリゼーションの理念や概念はスウェーデン人のベンクト・ニィリエ（Bengt Nirje）によって整理・成文化された。ニィリエはノーマリゼーションを「社会の一般的な規範や行動様式にできるだけ近い日常生活を送れる環境が知的障害者に提供できていること」と定義した。

日本でノーマリゼーションが知られるようになった契機は１９８１年の「国際障害者年」での

様々な取り組みである。1981年の厚生白書でも「ノーマライゼーションの思想[3]」という項目が設けられ説明がなされている。しかし、その後、日本ではノーマリゼーションの理念は浸透していかない。このことを示しているのが、内閣府が行った「平成18年度障害者の社会参加促進等に関する国際比較調査」の調査結果である。この調査は日本、ドイツ、アメリカの3カ国で、各国約1000人の20歳代から60歳代の人に対して行った2007年の調査結果である。ノーマリゼーションという言葉を知っているか否かという質問に対して、日本人男性は16・1%、日本人女性は15・5%のみが知っていると回答した。一方、同じ質問に対するドイツ人とアメリカ人の割合は、ドイツ人男性が49・5%、ドイツ人が55・7%、アメリカ人男性が40・4%、アメリカ人女性が53・9%、であった。この数字が示すように、1980年代以降、ノーマリゼーションという理念や考え方が世界的に浸透していく中で、日本ではノーマリゼーションという考え方は浸透していかなかったのである。ノーマリゼーションという考え方が日本で浸透していかなかった一番の理由は、「普通でない人」に対して日本人の関心が低いことが挙げられる。そのため、たとえ「普通でない人」に対して差別的な言動を行ったとしても、その言動が差別であるという意識が低いのだと私は思う。日本の法律に、差別を明確に禁止し罰則規定が存在する法律が存在しないことからもこのことは明らかである。その一つの理由として、欧米諸国とは異なり、これまで日本では国家間をまたぐ人の移動が少なかったことがあると私は考える。国家間の人の移動が少ない結果、日本国内に住む人たちの肌の色、目の色、髪の色などは非常に類似している。そのため欧米諸国と比べて、狭い意味での「人種」という観点での差別は少ない。しかし、「世系」（血筋や系譜）、「民族」、「種族」を含む広い意味での人種という観点では、日本にも古くからアイヌ差別や部落差別といった人種差別は存在していたし、現在もこれらの差別は歴然と残っている。国籍を理由とする人種差別の例としては、在日韓国人や朝鮮人に対する人種差別を思い起こす方も多いと思う。在日韓国人や朝鮮人に対する人種差別が過激化した近年の例として、いわゆるコリアンタウンと呼ばれる東京の新大久保や大阪の鶴橋で２０１３年ごろに頻発した反韓デモがある。この時のデモでは、民族差別を扇動するような内容のヘイトスピーチが公然と繰り返された。デモの様子は新聞、テレビ、ラジオなど多くのメディアで取り上げられ、社会問題となり、国会でも議論された。その結果、２０１６年にヘイトスピーチ解消法が成立・施行する。ヘイトスピーチ解消法が施行される以前の日本では、１９６５年に国連で採択され１９６９年に発効した人種差別撤廃条約に１９９５年に加入していた。[4] この条約では人種や民族などによる差別を禁じ、締約国は差別撤廃へむけた諸措置の実施状況を定期的に報告する義務があることが明記されており、法的な効力を有している。しかし、日本の国内法では、ヘイトスピーチ解消法の施行までは、具体的に差別禁止を規定している法律は存在していなかった。さらに言えば、ヘイトスピーチ解消法も、対象者を非常に限定していること、全ての規定に罰則規定が存在しない、というわゆる理念法であるため、ヘイトスピーチの抑止、差別抑制の実効性は高くないように思われる。

日本はこれまで、「普通」でない人については「異端」として排除・分離することで、「普通」のみの個人で集団を形成し、社会や社会制度を構築してきた。具体的には、人種が同じであっても、病気や障害のある「普通でない人たち」を普通の人から隔離して普通の人の目には触れないようにしたり、あるいは「普通の人たち」とは全く別の枠組みで福祉や教育などのサービスを提供したりするなど、「普通でない人たち」として取り扱ってきた。もっとも典型的な例では、ハンセン病患者を療養所（障害者コロニー）に隔離する事例がある。また、教育についても、障害を持つ子供の教育は特別学級、特別支援学校といった形で普通の子供とは接点がないような状況で行われてきた。「普通」でないものを「異端」として排除しようとするその最たるものが、1948年に施行され1996年まで存続した「優生保護法」である。同法律では、本人の意思とは関係なく、精神障害や知的障害のある人に医師と行政の判断で強制的に不妊手術を行うことができると規定している。この不妊手術に関する条項が、日本が経済的に豊かになり先進国といわれて久しい1996年まで削除されなかったことは大きな驚きである。

このようにみてくると、日本では差別に対する意識が欧米諸国と比べて低いとか高いとか議論する以前の問題であるように思われる。そもそも、日本では「普通」でない人に対して関心が低いので、「差別」という感覚そのものが希薄なのであろう。

一方、スウェーデン社会は「普通でない人」の考え方、立場、姿勢を非常に尊重していて、「普通でない人」に対して非常に寛容な社会となっている。それは、スウェーデン社会が「普通でない人」に対する差別に対して非常に敏感かつ厳しいことの裏返しでもある。先にも記したが、スウェーデンには日本には存在しない差別を禁じる法律が存在する。差別法は、「普通の人」と「普通でない人」とを区別してはいけないという法律である。それでも、何らかの差別を受けたと感じた人は、差別オンブズマンに訴え出ることによって差別を是正することが可能である。

ノーマリゼーションをさらに深化させた考え方がインクルージョン（Inclusion）という考え方である。世界各国の現在のマイノリティ政策は、障害者を対象としたノーマリゼーションから全ての人を社会へ包摂していくというインクルージョンへと向かっている。インクルージョンとは、マイノリティを社会全体で包み込み、マイノリティの特質も含めた全員で共生社会を構築するという考え方である。マイノリティとマジョリティが一緒に生活できる環境が整備されている社会がインクルーシブな社会なのである。インクルージョンが達成されて初めてダイバーシティが実現する。マイノリティに対する差別があるところでは、インクルージョンは実現しないし、ダイバーシティな社会も実現しない。前章および本章で紹介したように、スウェーデンはマイノリティに対する差別が厳しく禁止されており、女性、外国人、障害者、ＬＧＢＴに対して寛容なダイバーシティが尊重されている社会である。一方、日本ではマイノリティに対して依然として様々な差別や排他的区別がなされている。差別は、多数派が少数派を尊重せずに異質な存在として取り扱うところから発生する。この差別がなくならない限りいくらダイバーシティを推し進めようと唱えてもダイバーシティは実現しない。差別がない社会は、ダイバーシティが尊重されている社会であり、そういう社会は誰にとってもフェアな社会なのである。つまり、「差別がないこと＝ダイバーシティが実現すること＝フェアな社会が実現すること」なのである。根本的に社会全体として何かを変えないと、普通でないものに不寛容な日本ではダイバーシティという考え方が浸透することはないし、ファアな社会というのも実現しないのではないだろうか。

（1）制度はスウェーデン社会に広く浸透しており、様々な法律で規定されている「国民の機会・権利の均等や平等」を社会に浸透させる役割を担っている。スウェーデンの制度は政治任命された行政機関としてと、政治任命されたものではない自主的なものとがある。
（2）２０２１年６月の日本の人口は１億２５７２万人、そのうち、在留外国人は２８２万人であった。
（3）バンク－ミケルセンが初めて定義した「Normalisering（ノーマリセアリング）」の英語訳が「Normalisation」である。「Normalisation」の概念が１９８１年の厚生白書で日本に紹介された際に、「ノーマライゼーション」と表現された。それ以降、日本では「ノーマリゼーション」ではなく、「ノーマライゼーション」が用いられることが多い。本書では、「Normalisering」の発音に近く、北欧諸国でより一般的に使われている「ノーマリゼーション」で表現した。本書においては、単に表記（発音）が異なるだけで、「Normalisation」の意味するところに違いはない。
（4）２０２０年10月時点で１８２カ国が加入している。

第六章　人生設計と安心感

▽平等な子育て負担

　スウェーデンでは、国民に平等に提供される社会サービスと有事や不測の事態に対する政府の姿勢が国民に安心感を与えている。本章でははじめに、医療、福祉、年金、教育といった様々な社会サービスの中でも、特に人間の人生設計にとって重要な役割を果たす子育てと教育についてご紹介したい。次に、個人の努力ではいかんともし難い有事や危機に対するスウェーデン政府の危機管理体制や危機意識がどれだけ国民に安心感を与えているのかをお示ししたい。

　人が生まれ、教育を受けながら成長し、社会に出るまでの経済的支援を中心に、スウェーデンの子育てと教育の仕組みが、どれほど国民が安心して人生設計できる制度になっているかをみていきたい。日本で個人の問題として考えられている子育ての問題は、スウェーデンでは社会全体の問題として考えられている。言い換えると、子供を産み、育てる費用を社会全体で負担し、全ての子供に同じ養育サービス、教育サービスを受けるチャンスを提供するべきであるとスウェーデンでは考えられている。この背景には、親が置かれた環境によって子供が享受できる養育サービス、教育サービスに格差が生じることは「不公平である」「フェアではない」とスウェーデンでは考えられているからだ。裕福な家庭とそうでない家庭、ひとり親家庭とふたり親家庭、都心に住んでいる人と田舎に住んでいる人、など親（個人）が置かれた状況によって子育ての負担が異なるのはフェアではないということである。スウェーデンでは子供を育てる費用を社会全体でどのように負担しているかをみていこう。

個人が負担する出産費用については、スウェーデンは基本的には無料であるのに対して、日本では平均すると50万円以上を自己負担する。医療費（出産費用）という点だけに着目すると、日本では出産費用を全て個人が負担しているので保険組合や国の負担は少ない。しかし、出産費用が高いために子供を持つことをあきらめている夫婦が日本には少なからずいるのが現実である。少子化を少しでも改善するためには、出産費用の無料化が必要であろう。

さらに、スウェーデンでは子供が生まれると、子供1人に対して月額1250SEK（約1万6000円）が親に支払われる。子供が複数いる家庭には、さらに追加手当が支払われる。子供が3人いる場合には、3人分の子供手当3750SEK（1250SEK×3人分）に730S

EK（約9500円）の追加手当が加算され、月額の総額4480SEK（約5万8000円）が支給される。子供が4人になると、追加手当は1740SEK（約2万3000円）に増額される。子供の数が増えれば増えるほど、追加手当が累進的に増加していくように追加手当は設計されている。子供が16歳になるまで子供手当は支給される。子供が小さい頃は、子供手当はおむつ代やミルク代として利用され、子供が大きくなると子供の小遣いとして利用されるのが一般的だ。子供が16歳以上になって、高校に通っている場合には、月額1250SEKの返済不要の奨学金が国から支給される。子供手当にしても奨学金にしても全ての人が受給できるものについては、パーソナルナンバーで情報が管理されているので個人で申請する必要はない。さらに、家庭の事情や通学する学校によっては、基本的な手当以外の助成金、例えば、家計補助手当や下宿手当などを受給することができる。ただし、基本的な手当以外のこれらの助成金については個々人で申請する必要がある。

授業料は小学校から大学、大学院まで全て無料である。高校までは学校給食も無料で教科書代も基本的には発生しない。ただし、教科書が無料で支給されるわけではない。スウェーデンでは高校までの教科書は図書館から借りて利用することになっている。学生数分の教科書が図書館に所蔵されており、学年が変わるごとにその学年で使う教科書を図書館から借りて授業を受けるのである。日本のように教科書が個人の所有物とはならない。この教科書貸出制度は資源を浪費しないという意味で、環境先進国スウェーデンらしい制度である。

スウェーデンには日本の受験戦争と呼ばれるものが存在しない。高校や大学の入学選抜は、全て入学試験ではなく学校の成績によって選別される。つまり、高校の入学は中学校の成績によって、大学の入学は高校の成績によって合否が決定されるのだ。従って学校が終わった後に、塾や予備校に通って勉強したり、親が家庭教師をつけて勉強させたりといったことはない。

スウェーデンでは子供が高校を卒業した時点で子育てが終わる。というのもスウェーデンでは18歳になることが成人したこととされているからである。高校を卒業することは、一人前の大人になったこと、成人したことを意味している。そのこともあって、高校の卒業式のシーズンは街中がお祭り騒ぎで、親はもちろん親戚もこぞって子供の高校卒業を祝う。よく街で見かけるのは、荷台に大勢の卒業生を乗せたトラックが大音量の音楽をかけながら街中を走っている光景である。騒音ともいえるような大音量の音楽を流しながらトラックが街中を走り回っても、スウェーデン人は文句をいう訳ではなく微笑ましく眺めている。高校の卒業式はさしずめ日本の成人式という意味合いがあるように思われる。ただし、スウェーデンで子供が18歳の成人になるということは、日本で子供が18歳や20歳になるのとは全く意味合いが違う。スウェーデンでは、子供が18歳になると親は「保護者」ではなくなる。親といえども、18歳以上の子供の銀行口座の残高などの個人情報に無断でアクセスすることができなくなる。つまり、子供は親とは独立した大人として社会で扱われる。子供自身も高校卒業後は、親に頼らず経済的にも自立して生きていかなくてはならない。多くの子供は高校を卒業すると親元から離れて一人暮らしを始める。高校卒業後に大学に進学する人は、国から返済義務のない奨学金と学生ローンを借り入れて生活費に充てる。そういうわけで、スウェーデン人の親の子育ては、子供が18歳になった時点で実質的に終了するのである。

これまでみてきたように、スウェーデンでは生まれた時から18歳まで月額１２５０ＳＥＫが給され、学費は全て無料、日本のような受験戦争は存在しない。18歳になった時点で子供は「大人」として親から独立していくので、スウェーデン人の親が負う子育てに関する経済的負担は、日本の親と比べてはるかに小さいといえる。また、このことは子供が受ける教育サービスの量や質が親の経済状態によって左右されないということを意味している。まさに、スウェーデンでは子供を育てる費用を社会全体で負担し、全ての子供に格差のない教育サービスが提供されているのである。

▽大学生の奨学金と学生ローン

高校を卒業し経済的にも親から独立した子供たちが親の援助なしにどうやって大学生活を送るのかをご紹介したい。大学に進学する場合、ほとんどのスウェーデン人は返済義務のない奨学金と学生ローンを政府から借りて大学生活を送る。大学の授業料は無料なので、奨学金と学生ローンは主に教科書代や生活費として使用される。返済義務のない奨学金は、２０２１年時点で１週間当たり８４０ＳＥＫ（約１万１０００円）、４週間で３３６０ＳＥＫ（約４万４０００円）、年間で４万３２０ＳＥＫ（約52万４０００円）、を受け取ることが可能であった。学生ローンの最大額は１週間当たり１９３２ＳＥＫ（約２万５０００円）、４週間で７７２８ＳＥＫ（約10万円）、年間で９万２７３６ＳＥＫ（約１２０万６０００円）であった。つまり、奨学金と学生ローンの両方を受給する場合には、４週間で１万１０８８ＳＥＫ（約14万４０００円）、年間で13万３０５６ＳＥＫ（約１７３万円）の収入があることになる。加えて、18歳未満の子供がいる場合には、１週間当たり１５９ＳＥＫ（約２０００円）の子供手当が支給される。ただし、大学での取得単位数が標準単位数の7割に満たないと奨学金も学生ローンも支給が停止されてしまう。従って、学生は生活費のために単位取得を目指して一生懸命勉強する。学生ローンは学校を卒業した1年後から返済が始まる。仮に学生ローンを4年間借りると総額が37万９４４ＳＥＫ

（約482万円）となる。利子を含めた返済総額は37万4694SEK（約487万円）で、これを25年かけて返済していくことになる。現在は金利が低いこともあり、返済総額に占める利子は5万円程度である。返済開始1年目（大学卒業後の2年目）のひと月返済額は1029SEK（約1万3400円）であるが、返済額は年々上昇していく設計になっている。返済額が最大となる24年目にはひと月の返済額は1614SEK（約2万1000円）となる。ひと月の返済額は決して大きな負担となる額ではない。スウェーデンでの奨学金は全員に無条件で支給されるし、学生ローンについても親の経済状態と関係なく希望すれば借りることができる。スウェーデンではパーソナルナンバーによって住所や収入などの様々な個人情報が管理されているので、学生ローンの返済を滞納してどこかに雲隠れしてしまうということは不可能である。従って、学生ローンの返済滞納率は極めて低い。

一方、日本の代表的な奨学金である日本学生支援機構の奨学金は、奨学金という名前はついているものの、実質は返済義務のある学生ローンである。スウェーデンと一番違うのは、実質的には学生ローンである貸与型奨学金支給の可否が親の収入状態によって決定されるという点である。さらには貸与型奨学金を受給するには連帯保証人を付けるか、保証機関に保証料を払って保証人になってもらう必要がある。つまり、奨学金の本人からの返済が滞った時に代理返済を義務付けた「保証人」を付けないと貸与型奨学金を受給できないのである。一般的なローンではなく勉強するためのお金を借りるのに、担保がないとお金を貸さないということなのである。現状では、貸与型奨学金の返済を延滞している人が全体の1割以上いる。日本学生支援機構によれば、延滞者の16・3％の人が貸与型奨学金の終了後に返済義務を知ったと回答している。つまり、延滞者の6人に1人は返済義務のない奨学金であると思い込んでいたということなのである。そのうちの約半分の8・2％の人が「延滞催促を受けてから返済義務を知った」と回答している。貸与型奨学金の終了後に返済義務を知ったと回答した無延滞者はわずか1・4％であった。学業成績が悪いと奨学金の支給を停止されるのはスウェーデンも日本も同じであるが、日本の基準はスウェーデンよりもはるかに甘い。延滞者が多いのは奨学金支給停止の基準が甘いことも一つの原因であろう。

▽大学教育とリターンマッチ

スウェーデンでは高校卒業と同時に大学に進学する人は日本と比べてはるかに少ない。高校卒業後に数年寄り道をしてから大学に進学するのが一般的である。例えば、アスプスの山小屋やスキー宿でアルバイトしたり、バックパッカーとして世界各国を旅行したりして、自分の将来をゆっくり考える時間を作っている。ただ最近の傾向としては、高校卒業後あまり間をあけずに大学に進学する人の割合が少しずつ増加している。それでも、高校を卒業して20歳までに大学に進学する人は全体の2割程度である。この割合は少なくとも過去20年間は同じような水準で推移している。過去20年以上に渡ってスウェーデンの大学生の半数以上が25歳以上の学生で占められており、全大学生の2割以上が35歳以上の学生である。一方、日本の場合は、高校卒業と同時に大学に進学する人が非常に多い。２０２１年3月に高校を卒業した57・4％の人が大学あるいは短大に進学している。また、専門学校等に進学した人は22・1％、就職したのは2割未満であった。ＯＥＣＤによれば、２０１７年の日本の大学入学平均年齢は18・3歳であるのに対して、スウェーデンは24・3歳であった。ちなみに、ＯＥＣＤ諸国の平均は21・8歳であった。日本はＯＥＣＤ諸国の中でも最も大学入学平均年齢が最も低い国であるのに対して、スウェーデンはスイスに次いで2番目に大学入学平均年齢が高い国であった。

スウェーデンの大学入試の選考は基本的には高校の成績で行われる。日本のような一発試験ではない。高校を何らかの理由でドロップアウト（中退）してしまったため、またはある特定の科目の成績が極端に低いために、大学進学への道、あるいはある特定の学部への進学の道が閉ざされないように再教育の機会がスウェーデンには存在している。それはコミューン（Kommun、市区町村に相当する最小単位の地方自治体）が提供しているコンブックス（Komvux）と呼ばれる成人教育の機会である。コンブックスでは義務教育や高校教育を受けていない人に対して、あるいは高校の在籍時に勉強しなかった科目や成績の悪かった科目を今一度勉強し直したい人向けに勉強する機会を無料で提供している。例えば、医学部への入学選考には高校で数学を履修していることが出願条件であったしよう。医学部への入学希望者が高校時代に数学を履修していなかったり、あるいは数学を履修していても成績が悪かったりした場合には、そのままでは医学部への進学は無理である。しかし、その人がコンブックスで数学を勉強し直した場合、コンブックスでの数学の成績を高校で履修した科目に追加したり、高校時代の数学の成績と差し替えたりすることが可能である。つまり、リターンマッチが可能な教育制度となっているのである。少なくともここ10年は、大学入学者のうち、全ての科目をコンブックスで勉強した人が1割以上、コンブックスで勉強し直して科目の成績を差し替えた人が2割弱程度いる。高校時代の成績だけで大学に入学している人は、年によっても異なるが最大でも7割程度である。このリターンマッチが可能な教育制度があることも、スウェーデンの大学生の平均年齢がＯＥＣＤ諸国の中で高い理由の一つであろう。このように、小学校から大学、大学院までの全ての教育で授業料が無料であることに加えて、学び直せるという制度が存在していることが、人生においてリターンマッチが可能であるという安心感を国民に与えているのである。

▽外国人の授業料も無料？

スウェーデン国籍の人の授業料は小学校から大学、大学院まで全て無料であるが、国籍がスウェーデンでなくても、正規にスウェーデンに住むことが認められた人、言い換えるとパーソナルナンバーを取得可能な人についても授業料は無料である。私が１９９０年代にＰｈ．Ｄ．（博士号）取得のためにストックホルム大学の大学院に留学していた時も授業料は無料であった。私は一円も授業料を負担せずにＰｈ．Ｄ．をスウェーデンで取得したのである。留学が決まり留学準備をしている時に授業料について大学や大使館に問い合わせたところ、私から授業料について聞かれた相手は私の質問の意味をはじめ理解できないようであった。なぜなら、彼らには「学生が授業料を負担する」という考えがなかったからである。彼らの回答は「授業料は無料」とのことであったが、私自身は半信半疑でスウェーデンに渡った。ストックホルム大学で勉強を始めた時に、再度学生担当の人に聞いたところ、スウェーデンでは教育は無料であってそれを個人が負担することはないとの回答であった。さらに続けて、そもそも授業料に関する料金表が存在しないので請求のしようがないと冗談ぽく言われたのを覚えている。当時はインターネットが普及する前で、北欧の人以外はスウェーデンでは留学生も授業料が無料であることは知らなかったと思う。米国の大学、大学院の留学生の年間の授業料は現在4万ドルとも5万ドルともいわれているが、当時でも約2万ドル（当時の為替レートで約250万円）程度であったと記憶している。当時も今も変わらないのは、米国では留学生が支払う授業料は米国人の1・5倍から2倍であるということである。しかし2011年7月からはスウェーデンでもEU諸国、ノルウェー、アイスランド、スイス、リヒテンシュタイン以外の国籍の留学生からは授業料を徴収するようになった。私が留学していたストックホルム大学の2022年の学部の年間授業料は社会科学分野が9万SEK（約117万円）、自然科学分野が14万SEK（約182万円）となっている。さらに入学審査料900SEK（約1万2000円）が必要である。ヨーロッパからの学生以外から授業料を徴収することになった背景には、2000年以降のインターネットの普及によりスウェーデンの大学、大学院の授業料が無料であることが広く世界で知られるようになり、留学生が急増したことがある。実際2000年以降、中国やアジアの途上国などからの入学願書提出数が加速度的に増加して、新聞の一面で取り上げられるほどスウェーデンでは大きな問題となった。私自身にもこのことに関連するエピソードがある。私が日本に帰国した後に、スウェーデンへの留学を考えているという日本人から連絡があり合計で5人ぐらいの人と会ったことがある。スウェーデンでの学習環境や生活環境についていろいろ聞かれた後に、最後に私から「なぜスウェーデンに留学したいのか」と聞くと全員が口をそろえて「一番の理由は、授業料がタダだから」という回答であった。経済的に豊かであった日本人でさえそうなのだから、中国をはじめとするアジアの国々の人が授業料無料のスウェーデンに留学したいと考えるのはある意味自然なことなのかもしれない。授業料が徴収されることになった2011年の入学願書提出数は2010年と比べて激減した。ストックホルム大学で教鞭をとる友人の話では、2011年度のストックホルム大学経済学部の大学院修士課程への入学願書提出数が、前年の4分の1にまで減少したそうだ。特に激減したのが、中国やアジアからの入学希望者とのことであった。彼が言うには、2012年以降については、大学院修士課程の入学願書提出数に特に大きな増減はないそうである。

ここで興味深いのは、博士課程で勉強を希望する学生の入学審査料や授業料は、国籍に関係なく現在も無料であるということである。この背景には、研究人材の育成・確保が経済成長、イノベーション、国際競争力を高めるためには必要不可欠であるという認識がスウェーデン政府にあるからである。現在はさらに、博士課程入学者に入学後4年間の経済的サポートをすることをスウェーデン政府は受け入れ大学に義務付けている。多くの大学では、受け入れた博士課程の学生を大学で雇用する形をとって給与を支払っている。しかし、博士課程の学生に支払われる給与の財源が追加的に政府から配分されるわけではない。従って博士課程に学生を受け入れる大学院の研究科は、それぞれの財政状況と相談しながら受け入れる博士課程の学生数と毎月の支給額を決める。博士課程の学生への平均支給額は月額3万SEK（約39万円）程度で、この額が4年間学生に支払われる。政府が博士課程の学生への経済的支援を義務化したのは、博士課程の学生の経済的な不安を取り除くことによって、博士課程からドロップアウトしてしまう学生を減らし、より短期間でPh.D.を取得することを促すためである。私が留学していた1990年代には経済学でPh.D.を取得するには平均で8年から10年が必要であった。その当時の米国では、4年から6年程度で経済学のPh.D.を取得することができた。スウェーデンでのPh.D.取得の半分の時間で米国ではPh.D.が取得できたのである。私の博士課程の同期は8人いたが、Ph.D.を取得できたのは半分の4人であった。博士課程入学に際しては定員の20倍以上の応募があり、入学を許可された学生は選りすぐられた学生であったはずだがそれでも半分がドロップアウトしてしまったのである。スウェーデン政府はドロップアウトする学生を減らすために、経済的支援に加えて、Ph.D.取得の基準を米国並みに引き下げた。Ph.D.取得の基準を緩くすることを後押ししたのが、1999年に欧州29カ国の教育大臣によって採択された「ボローニャ宣言(Bologna Declaration)」である。同宣言では、それまでばらばらであった各国の学士号、修士号、博士号の学位認定基準を共通の水準に統一していくことが約束された。その結果、ヨーロッパで特に厳しかったスウェーデンのPh.D.の学位認定基準は緩和され、米国や他の欧州諸国のように4年から6年でPh.D.が取得できるようにしたのである。しかし、以前よりもPh.D.学位認定基準が緩くなったからと言ってPh.D.取得者が増加したわけではない。というのも、博士課程の学生に4年間の経済的サポートを大学に義務付けたので、博士課程の学生に給与を支給していなかった時よりも博士課程への受け入れ学生数が少なくなっているからである。ストックホルム大学経済学部の博士課程の受け入れ学生数は現在は毎年4名程度で、私が留学していた時の半分である。

▽有事に対するリスク管理

次に、国民個人の努力ではいかんともし難い、回避困難な非常事態、有事のリスクに対するスウェーデンの危機管理体制や危機意識についてみていこう。近年、世界規模で問題となっている戦争などの非常事態に対するスウェーデンの危機に対する姿勢と、新型コロナウイルス感染症パンデミックを例に、スウェーデンのリスク管理の姿勢をご紹介し、スウェーデンの危機管理体制や危機意識がいかに国民に安心感を与えるかをお示ししたい。

スウェーデンは１８１５年のナポレオン戦争終結後、武装中立政策を貫き、今日まで２００年以上も他国と戦争をしてこなかった。だからと言って、スウェーデン人の戦争をはじめとする有事に対する危機意識が低いというわけではない。スウェーデンは日本と比べて有事に対する備えの意識がはるかに高い。それを端的に表しているのが、スウェーデンで２００９年1月に設立されたスウェーデン市民緊急事態庁（Myndigheten för samhällsskydd och beredskap、以下、「ＭＳＢ」と記す）である。ＭＳＢはどの省庁の守備範囲でもない領域、緊急事態時の対応、および市民防衛に関して国民の安全と保護のために設立された組織である。ＭＳＢが行った具体的な活動として広く国民に広く認知されているのは、２０１８年5月にスウェーデンの全世帯に配布された「危機や戦争の備えに関する手引き書」（OM KRISEN ELLER KRIGET KOMMER）[1]であろう。「危機や戦争の備えに関する手引き書」は20ページにもなる冊子で、戦争やテロが発生した場合の避難方法、食料や水の確保・備蓄方法、身の守り方が記されている。また、緊急時のサイレン、空襲時のサイレン、危険が過ぎ去ったことを示すサイレンの鳴り方がどのように違うのかも説明されている。各家庭に配布されたちょうどその時、私はスウェーデンに住んでいたのでそれを直接受け取ったのだが、このような冊子を事前に準備して非常事態時の対応の仕方を国民に周知していることに驚いたのを覚えている。

「危機や戦争の備えに関する手引き書」がMSBによって配布されるはるか以前から、スウェーデンでは、「もし」を想定して様々な準備がなされている。スウェーデン国内に多数存在する避難用シェルター（Skyddrum）、いわゆる核シェルターが、スウェーデン人の有事に対する備えの意識の高さを示している。避難用シェルターは第二次世界大戦後の冷戦時代に建設され始めた。MSBによれば、現在、スウェーデンには6万5000の避難用シェルターがあり、約700万人が収容可能とのことである。避難用シェルターは核爆弾だけではなく、生物兵器、一般的な戦争から人々を守るように設計されている。大型の建物には避難用シェルターを設置することが義務付けられており、建築基準法で発電機、浄水装置、トイレなどに関して細かく規定されている。避難用シェルターを自宅に作る場合の材料や建設のための手引きもMSBのホームページで紹介されている。避難用シェルターの場所はMSBのホームページからオンラインの地図(2)で示されている。また、全ての避難用シェルターのある建物には、オレンジ色の正方形の中に青い三角形が描かれた避難用シェルターの標識が掲げられている。従って、オンライン地図と避難用シェルターの標識で、避難用シェルターの場所を容易に見つけられることができる。しかし、スウェーデンの現在の人口は約1000万人なので、約300万人分の避難スペースが不足していることになる。そのため、スウェーデン政府は避難用シェルターを現在の2倍にすることを計画している。この背景には、２０１４年のクリミア侵攻に始まるロシアのウクライナへの拡大行動が大きく影響している。

「もし」を想定して準備されていたことの一つに、氏名、出生地、住んでいる場所、パーソナルナンバーが刻印された6センチ×4センチの鉛のプレート（Id-brickor）がある。スウェーデンでパーソナルナンバーの登録が完了すると、それを知らせる手紙と一緒にこの鉛のプレートが送られてきた。封書には、「有事の際にはこの鉛のプレートは首に掛けるように」というメッセージも同封されていて、私の家族全員も１９９０年代にこの鉛のプレートを受け取っている。有事の際にこの鉛のプレートを首に掛けていれば、その人が負傷したり、意識が無くなったり、死亡したりしても身元を特定することが可能となる。鉛は、「核（放射能）」にも耐えうる素材なので、たとえ核爆弾が投下されても、鉛のプレートを首に掛けていれば身元が特定できるのである。私が鉛のプレートを受け取った時点で、スウェーデンは１８０年近くも戦争をしていなかった。それにもかかわらず、「もし」を想定して様々な準備がなされていることに非常に驚いた。しかし、20世紀初頭から発行されていたこの鉛のプレートは、２０１０年1月1日以降、その製造と配布が停止されている。これは２０１０年から義務であった兵役が廃止されたことと連動している。兵役の義務化はその後、２０１８年に復活したので、鉛のプレートも再び発行されるようになるかもしれない。しかし、鉛のプレートの発行を停止したからと言って、戦争や様々な危機に対するスウェーデン政府の姿勢が楽観的なものに転じたというわけではない。

このようにスウェーデンでは、核戦争などの有事に備えて様々な準備がなされているのである。有事に対する備えだけではなく、危機探知能力、情報収集能力がスウェーデンは非常に高い。このことを示す事例として、チェルノブイリ原子力発電所事故に関するスウェーデンの一連の対応がある。1986年に現在のウクライナにあるチェルノブイリ原子力発電所が爆発し、大量の放射能が大気中に放出された。原子力発電所が爆発したことをひた隠しにしていたソ連政府に対して、ソ連国内での原子力事故の発生を疑い、ソ連政府に事故があったことを認めさせたのがスウェーデンであった。ソ連での原子力事故の可能性を発見したのは、スウェーデンで2番目に大きなフォッシュマルク（Forsmark）原子力発電所のスタッフであった。事故発生から2日後にフォッシュマルク原子力発電所で働く従業員の1人の靴から高レベルの放射性物質が検出された。その放射能物質を調べたところ、それがソ連の原子力発電所特有のものであることが判明した。その後の調査で従業員の靴に付着していた放射性物質は、フォッシュマルク原子力発電所の敷地内の草から付着していたことがわかった。フォッシュマルクとチェルノブイリとは約1100キロ離れていたが、放射能物質は風に乗って拡散し、雨でフォッシュマルク一帯に落下したものと推測された。ソ連の原子力発電所特有の放射線物質がフォッシュマルクで発見されたことがスウェーデン政府に連絡され、全世界がチェルノブイリ原子力発電所事故を知ることになったのである。ここで驚くのは、当時はソ連国内の情報は全て秘匿されていたはずなのに、スウェーデンはソ連の原子力発電所で使用されていた放射線物質に関する情報を持っていたということである。スウェーデンはまさにスパイ映画さながらの情報収集能力を有していたのだ。

日本でも自治体から避難所や避難場所に関する情報が提供されているが、スウェーデンのように核爆弾から身を守れるような避難用シェルターはほとんど存在しない。日本核シェルター協会による２０１４年時点での調査では、日本の核シェルターの普及率は、０・02％と、１万人でたった２人しか核シェルターに入れない状況であった。同調査では、スイスとイスラエルが１００％、ノルウェーが98％、アメリカが82％、ロシアが78％、英国が67％となっている。日本では戦争やテロが発生した時にどのように対応したらよいかといった手引書も国民には配布されていない。イラク戦争を契機に自衛隊の武力行使については国会で頻繁に議論されているが、日本が他国から攻撃された際に日本国民がどのように行動したらよいかについては全く議論されていない。そもそも、日本政府は戦争や大規模なテロは発生しないと考えているとしか思えない。北朝鮮から頻繁にミサイルが発射され日本近海に落下したり、日本列島上空を通過し太平洋に落下したりしているにもかかわらず、日本政府はミサイルが日本国内に撃ち込まれた際に国民はどう行動すべきかについて全く国民に説明していない。北朝鮮からミサイルが発射される度に日本政府は「北朝鮮に厳重に抗議する」と政府声明を出すだけである。日本政府は有事に際しての明確な危機管理体制を構築しているとは思えない状況である。また、国民の側からも朝鮮のミサイルから身を守るために事前になにかすべきだという議論や行動も起こっていない。日本人はスウェーデン人に比べて危険に対する意識が希薄なのであろう。1971年に出版されたイザヤ・ベンダサン著『日本人とユダヤ人』の「安全と自由と水のコスト」の中で、「日本人は水と安全はタダで手に入る」と思い込んでいるという記述がある。50年前に指摘された日本人に対する認識は、現在も基本的には何も変わっていないのだろう。

▽防衛意識の高い国 スウェーデン

スウェーデンは不測の事態に対する備えとして、避難用シェルターの整備や鉛のプレートの配布といった受動的な備えに加えて、能動的な備えも行ってきた。具体的には、軍隊の保持と自前での軍需品の製造である。冷戦時代にはスウェーデン空軍は世界最大の空軍の一つとして認識されていた。スウェーデンには現在も数多くの防衛関連企業が存在するが、その代表的な企業は乗

図６－１　対GDP比　軍事費（防衛費）の推移　1960～2020年

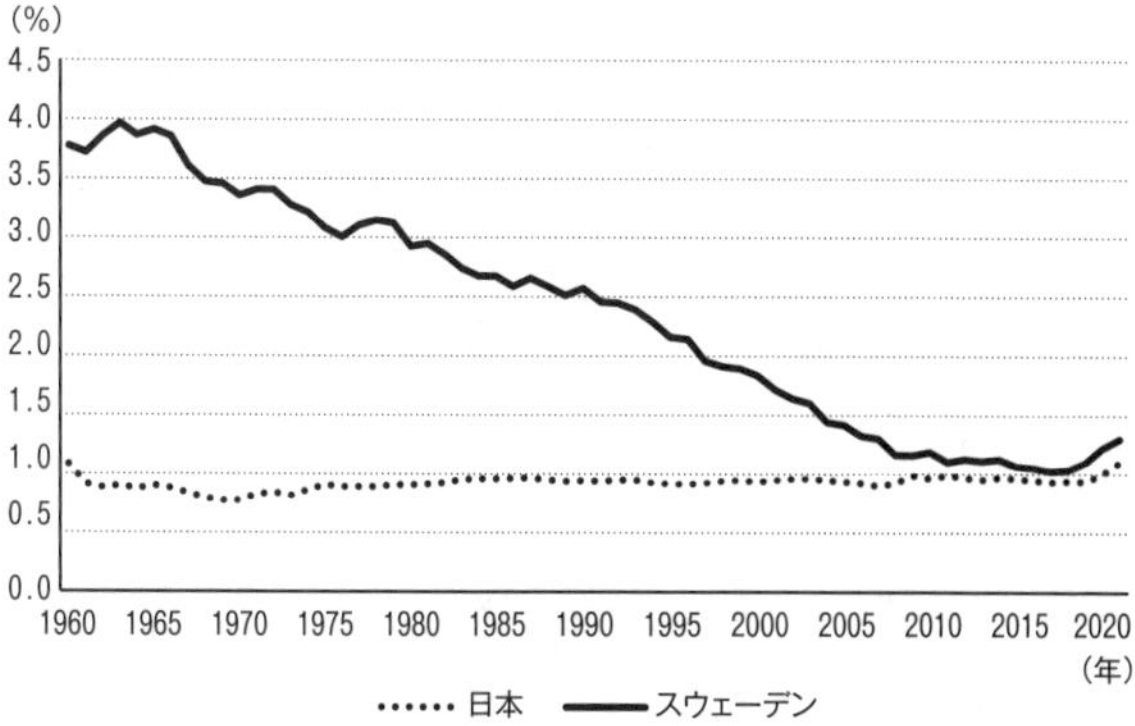

出所：ストックホルム国際平和研究所のデータを基に作成。

用車メーカーとして有名なサーブであろう。サーブは戦闘機を開発・製造するために１９３７年に設立され、現在も戦闘機、潜水艦、地上戦闘用の火器など様々な軍需品を製造・販売している。

図６‐１はスウェーデンと日本の対ＧＤＰ比軍事費（防衛費）の推移を１９６０年から２０２０年の期間でまとめたものである。図６‐１の折れ線グラフから明らかなように、キューバ危機やベトナム戦争で米ソの対立が激しかった１９６０年代のスウェーデンの軍事費（防衛費）はＧＤＰ比で４％近い水準であった。しかし、その後米ソの対立が緩和されていくに従って軍事費（防衛費）は低下し続け、２０１０年以降は対ＧＤＰ比１％程度で推移している。スウェーデンの防衛費はロシア（ソ連）からの脅威が逓減するのに伴って、軍事費も減少し続けている。一方、日本の防衛費

は1960年以降、対GDP比約1%でこれまで推移してきている。図から明らかなように、2010年以降のスウェーデンと日本の対GDP比の軍事費（防衛費）は同水準で推移している。加えて、スウェーデンも日本も軍隊（自衛隊）の防衛戦略の基本姿勢は専守防衛という点でも同じである。しかし、防衛意識という点では、スウェーデンと日本とでは大きな違いがある。そのことを如実に表しているのが徴兵制である。スウェーデンでは1901年から徴兵制が開始され、全ての男性に兵役の義務が課された。しかし冷戦が終結し、ソ連が崩壊したことを契機に、1990年代半ば以降、男性全員が兵役を行う国民皆兵制度ではなくなっていく。つまり、兵役を行う男性は全員ではなく、徴集される男性の数は年々減少し続けていったのである。女性については希望すれば兵役を行うことができたが、男性と同じ職種が女性に開放されていたわけではなかった。2010年には強制的な兵役を課す徴兵制は廃止され、希望する人のみが兵役を行う希望者ベースの志願兵役となった。その際に、ジェンダー平等な徴兵制、つまり全ての面で男性と区別なく女性も兵役を行う徴兵制に変更された。しかしロシアのウクライナへの軍事行動が活発化したことを受けて、2018年1月1日から年間4000人の規模で強制的な兵役を課す徴兵制が再開された。スウェーデン統計局によれば、2021年1月1日の16歳から19歳までの人口は45万8658人だったので、1学年当たりの平均人口11万4665人である。兵役を課される４０００人は同学年の約３・５％、29人に１人の割合で兵役に選ばれるということである。２０１８年に再開された徴兵制で特筆すべきことは、女性も希望者ベースではなく強制的に徴集されるようになったということだ。常時戦時体制下にあるとするイスラエルや北朝鮮を除けば、２０１５年に女性の徴兵制が導入されたノルウェーに次いでスウェーデンは女性に兵役の義務を課す世界で2番目の国となった。２０１８年にようやく兵役に関してもジェンダーの平等がスウェーデンで実現したのである。

さらに、スウェーデンは国家の安全を維持するための能動的な備えとして、２００年以上貫いてきた武装中立という立場を放棄し、北大西洋条約機構（ＮＡＴＯ）へ加盟することを２０２２年5月に決断した。２０２２年2月に始まったロシアによるウクライナ侵攻を契機に、スウェーデンは2月末にウクライナを支援する目的で、同国に武器給与をすることを決定した。この決定は、武装中立政策を貫いてきたスウェーデンにとって歴史的な決定であった。しかし、ウクライナへの武器給与と武装中立政策だけではロシアの脅威から自国を守れないと判断し、スウェーデンはフィンランドと足並みをそろえて、ＮＡＴＯへの加盟を決断したのである。ＮＡＴＯの規定では、加盟国のいずれかの国への攻撃はＮＡＴＯ加盟の全ての国への攻撃とみなして対応すると定められている。つまり、ＮＡＴＯへの加盟は、集団的防衛によって国家の安全保障を実現しようすることなのである。スウェーデンの、NATO加盟は、200年以上維持してきた武装中立というスウェーデンのアイデンティティーの放棄を意味する。しかし、アイデンティティーを維持することよりも、スウェーデンは、スウェーデン国民の安全を第一に考え、NATOへの加盟を決断したのである。

▽暗号解析と特殊部隊

兵役時の配属先に関して、私の知り合いや友人の例を紹介する。スウェーデンでは兵役の配属先は、個人の特性や適性に応じた適材適所の配属がなされているようだ。つまり、全ての人が銃器担いで走り回るわけではない。私のPh.D.論文の指導教授のラース・カムフォッシュ（Lars Calmfors）教授は、ノーベル経済学賞選考委員会の委員長を歴任したり、スウェーデンがユーロに貨幣を変更すべきかどうかの政府委員会の委員長に任命されるなどスウェーデンでは著名な経済学者である。彼が兵役を行ったのは1960年代後半である。その当時は、米ソの冷戦の真っただ中でスウェーデンは特にソ連の脅威を感じていた。そのような状況下で、彼が配属されたのはロシア語の暗号解析を行う部署であった。彼が私に話してくれたのは、そののち著名な研究者となった人の多くがロシア語の暗号解析の部署に配属されていたということである。実際、私が博士課程に籍を置いていたストックホルム大学の経済学部の教授で１９６０年代から70年代にかけて兵役を行った人の多くはロシア語の暗号解析の部署に配属されたと私に話してくれた。ロシア語の暗号解析の部署に配属された人は、中学や高校の成績をもとにスウェーデン全国から選りすぐられた「超秀才」であったとのことである。カムフォッシュ教授が私に語ってくれたのは、ストックホルムやヨーテボリの大都市から選抜された学生の方が地方出身者よりも優秀であったということである。その理由として彼は、大都市の方が高校の数も人口も多いので競争が激しいためであろうと言っていた。高校で一番といってもその地方で一つしかない高校での一番とストックホルムなどの上位高校での一番とではレベルがかなり違うとのことである。ちなみに彼はそのコースで断トツの一番で優秀であったため、ソ連が崩壊し冷戦が終結する１９８９年までロシア語の暗号解析のスキルの維持とブラシュアップのために定期的に呼び出され、追加的な兵役を行ったと私に語ってくれた。

もう一つの例は、頭脳ではなく身体能力が抜群に優れている友人のケースをご紹介したい。私が彼と初めて会ったのは、フランスに友達とスキー旅行に行った時である。彼は私の友達が誘い、一緒に行くことになったのである。夕食を済ませホテルに帰る途中で、酔っ払ったチンピラ風の輩数人に絡まれたのである。すると私の友人たちが彼を最前列に押し出すのである。彼が相手と何か話し始めたのだが、暫くすると相手の1人がいきなり彼に殴りかかってきた。しかし次の瞬間、殴りかかってきた相手は道端に転がっていた。まるでアクション映画を見ているようであった。それを見た相手は一目散に逃げて行った。その時に、彼に格闘技でもやっているのかと聞いたところ、そうではなく、兵役で訓練を受けたというのである。よくよく聞いてみると、彼の兵役の配属先は、いわゆる「特殊部隊」とのことであった。彼は高校までの体力測定の結果がスウェーデンでトップクラスで、主にサッカーと陸上競技をやっていたとのことである。身長は175センチ程度でスウェーデン人としては決して大きくないが、全身がバネのような感じの体格であった。服の上からも背中、腰、肩などは筋肉で盛り上がっているのが容易にわかった。彼の筋肉はボディービルダーのような見せるために作られたものでは決してなかった。兵役で配属された「特殊部隊」では、非常事態や緊急出動に常に対応するために昼夜を問わず過酷な訓練が行われ、大変であったといっていた。銃器はもちろんのこと、ナイフや素手で一瞬に相手を殺すための戦闘訓練が行われたとのことである。つまり、私はフランスでその凄さを目の当たりにしたのだ。私の友人たちはそれを知っていたから、チンピラ風の輩に絡まれた時に彼を最前列に押し出したのだ。彼が実際にどんな訓練を体験したかは、ここでは紹介しにくい内容なので省くが、映画さながらの訓練であったようだ。

▽パンデミックの危機対応と国民の安心感

新型コロナウイルス感染症パンデミックを例に、スウェーデンのリスク管理の姿勢と国民に安心感を与えるスウェーデン政府の対応をご紹介したい[3]。

２０２０年に新型コロナウイルス感染症が爆発的に世界中で蔓延し始めた当初、スウェーデンのコロナウイルス感染による人口当たりの死者数が世界で最も多い週があった。その際にスウェーデン政府のパンデミックに対する対応に国際的な批判が一時高まった。パンデミック当初に新型コロナウイルス感染による死者が急増した背景には特殊な事情があった。ここではその詳細は割愛するが、何らかの疾患を抱えている高齢者が住む介護施設でクラスターが発生したことが、スウェーデンの死者数を押し上げた一番の要因であった。国際的に批判されていたほどスウェーデン国内で強い反発や批判があったという話は聞いていない。その背景には、スウェーデンのリスク管理の姿勢と国民に安心感を与えようとするスウェーデン政府の丁寧な対応が大きく寄与していると考えられる。

新型コロナウイルス感染症パンデミックに対するスウェーデン政府の対応の特徴的な点は、①専門家によって指揮された感染症対策、②国民への情報公開と丁寧な説明、③医療機関の役割分担の明確化、④有限な医療資源の効率的利用、の４点である。

1番目の「専門家によって指揮された感染症対策」についてであるが、政策決定に関して専門家の意見がスウェーデンほど尊重される国は他にはないであろう。憲法にも、専門家で構成されている官公庁などの公的機関の決定事項や判断を尊重することが明記されている。さらには、省庁の大臣や長官といった政治家が省庁が決定した個別の政策に介入することはスウェーデンでは禁じられている。従って、個別の政策の決定や実行の際によく日本で起こる政治判断や政治介入といったことはスウェーデンでは起こらない。個別政策への政治介入が法律で禁じられている以上に、政府や政治家はその道の専門家の意見を尊重しているし、敬意を払っている。専門家によるしっかりとした理論や偏りのないエビデンスに基づいた政策提案を無視するような政策が行われることはない。従って、政治家と専門家のメッセージが異なるということはスウェーデンでは起こりえない。なぜなら冒頭にも記したように、専門家の意見をベースに政策提言が作成され、政治介入されることが禁止されているからである。新型コロナウイルス感染症対策に関しては、感染対策法（Smittskyddslag）という法律で、スウェーデン公衆衛生庁（Folkhälsomyndigheten）の専門家が新型コロナウイルス感染症対策の指揮を執ることが定められている。従って、新型コロナウイルス感染症対策で、日本で起こったような専門家の意見を無視するような政治決定がなされることはなかった。

スウェーデンと対照的なのが日本である。新型コロナウイルス感染症対策に限らず、これまで日本では専門家の政策提案はあくまで参考意見に過ぎないという立場で政策が展開されてきた。その傾向はどんどん強くなっている感じがする。そのことを顕著に示しているのが、1年延期された東京オリンピックの開催の可否に関する専門家の意見に対する政府の対応である。政府自らが設置した新型コロナウイルス感染症対策の専門家会議で出された提言や意見を政府は「参考意見」としてしか尊重しなかったことを記憶している人は多いだろう。政府は東京都などに緊急事態宣言が発令・延長されている状況下で、東京オリンピック・パラリンピックの開催を強行した。このことが如実に物語っているように、日本では専門家の意見というのが非常に軽視されている。確かに日本でも専門家の意見を取り入れて政策決定を行うということで、様々な専門委員会が設置されている。しかし、専門委員会は政府の意向と異なる意見を言うことがはばかられる雰囲気がある。専門委員会は政府の用意した案をただただ追認する委員会でしかないのが現状だ。政府にとっては専門家の意見を聞いたという事実が重要なのであって、政府の方針と異なる専門家の意見は重要ではないのだ。スウェーデンでは専門家の意見が政治介入なしに政策に反映されていることが政策の透明性を担保し、政府が行う様々な政策に対する国民の信頼を高めている。

2番目の「国民への情報公開と丁寧な説明」については、スウェーデンでは新型コロナウイルス感染症が拡大し始めると、毎日14時から公衆衛生庁、社会庁、MSBなど、関連省庁の代表が合同記者会見を開いていた。記者会見では、公衆衛生庁のアンダース・テグネル（Anders Tegnell）を中心に、その時の感染状況や今後の見通し、対策について丁寧に説明がなされた。一通りの説明が終わると、時間無制限で質問を受け付け、それに対して誠実に回答していた。記者会見で用いられたデータのほとんどは各省庁のホームページから閲覧可能であった。毎日行われた合同記者会見での政府の真摯な姿勢と情報公開の姿勢が新型コロナウイルス感染症に対するスウェーデン国民の不安を軽減し、政府への国民の信頼をさらに高めたとスウェーデンの友人は語っていた。一方、日本でも、新型コロナウイルス感染症が確認された2020年2月から感染症の専門家で構成された新型コロナウイルス感染症対策アドバイザリーボードが招集された。会議は約1週間に一度の頻度で開催され、新型コロナウイルス感染症対策が議論された。しかし当初は、新型コロナウイルス感染症の状況や議論の内容を詳細に国民に向けて説明されることはなかった。その後、新型コロナウイルス感染症拡大に伴い、感染拡大の状況説明は毎日行われたが、必ずしも国民に理解してもらおうという丁寧な説明がなされたわけではなかった点はスウェーデンとは大きく異なる。

3番目の「医療機関の役割分担の明確化」についてであるが、スウェーデンは新型コロナウイルス感染症パンデミックが発生すると、新型コロナウイルス感染者を優先的に治療する病院と通常診療を行う病院とを明確に分けてパンデミックに対応した。その過程で、重症患者の治療に必要な人工心肺装置（エクモ）や人工呼吸器のような医療機器も新型コロナウイルス感染者対応病院に集められた。加えて、感染症治療が専門ではない医師や看護師に教育を行ってコロナ感染治療のための医療スタッフが確保された。また、新型コロナ対応病院を特定することで、日本で頻発した救急車の搬送先が決まらず右往左往するということも起こらなかった。スウェーデンで事前に新型コロナウイルス感染者の治療に関して万全の体制が準備されていたわけではないが、専門家の意見を基に迅速に決定し対応した結果、限られた資源で新型コロナウイルス感染症パンデミックに対応することができたのである。ただ、スウェーデンで新型コロナ対応病院と通常診療病院とに病院を振り分けるなど思い切った対応ができたのも、スウェーデンでは圧倒的に公立病院が多いということが大きい。

4番目の「有限な医療資源の効率的利用」についてであるが、先にも記述したが、重症患者の治療に必要なエクモや人工呼吸器のような医療機器を特定の病院に集積させた。また、国内の集中治療室（ＩＣＵ）のベッドの空床状況は中央で管理されていて、誰もが閲覧できるようにインターネットで公開されていた。さらにはICUが満室になることを回避するために、社会庁からICU利用の利用優先基準であるトリアージが通達され、実行された。具体的には80歳以上の患者、70歳以上で1つ以上の臓器障害を有する患者、60歳以上で2つ以上の臓器障害を有する患者はICUでの治療を行わないというものである。日本では公然としたルールに基づいたトリアージは行われなかった。だからといって、日本でICUの治療が必要であった患者が全てICUで治療を受けることができたわけではなかった。多くのメディアで報道されたのは、日本のICU治療が生存可能性や余命とは関係なく、いわば「早い者勝ち」のような状況で行われていたということであった。トリアージはいわば命の優先順位をつけることである。トリアージの決定・実行に対しては、批判を受ける可能性を否定できない。当時の日本は新型コロナウイルス感染の重症患者の治療が非常に逼迫していた。それにもかかわらず、トリアージという選択はなされなかった。一方、スウェーデンでは医療が逼迫するはるか前の段階でトリアージが実行されている。つまり、医療崩壊を引き起こさないための「転ばぬ先の杖」として、スウェーデンではトリアージが選択されたのである。トリアージに限らず、新型コロナウイルス感染症パンデミックに直面して、スウェーデンの専門家や政策決定者は最悪の状況を想定して大胆に政策を決定・実行し、それを国民に丁寧に説明してきた。このスウェーデン政府の姿勢は、国民の政府への信頼を一層高めたとスウェーデン人の友人は私に話してくれた。

以上みてきたように、スウェーデンは最悪の状況を常に想定して行動している国である。スウェーデン政府は起こり得るかもしれないリスクを国民に周知し、常に不測の事態に対する準備を怠らない。また、想定外のリスクが発生した場合には、スウェーデン政府はそのリスクを包み隠さず国民に説明し、そのリスクに対して政府がどのように対応していくのかを国民に示してきた。その姿勢が国民に安心感を与え、国民の政府への信頼を高めているのである。

（1）「危機や戦争の備えに関する手引き書」（OM KRISEN ELLERKRIGET KOMMER）https://rib.msb.se/filer/pdf/28494.pdf

（2）ＭＳＢ避難用シェルター地図　https://gisapp.msb.se/apps/kartportal/enkel-karta_skyddsrum/

（3）２０２０年11月開催の北ヨーロッパ学会２０２０年度研究大会での宮川絢子氏（カロリンスカ大学病院医師）による講演「スウェーデンの新型コロナウイルス感染症戦略」を参考にしている。

終章——フェアな社会

執筆過程でスウェーデンの情報をインターネットで収集している時に一番驚いたのは、インターネット上に日本語で書かれたスウェーデンに関するレポートや体験記が私の想像以上に多く存在していたことである。私が考えている以上に、日本人がスウェーデンに興味を持っていることに驚いた。ただ、スウェーデンに関するレポートや体験記は女性によって書かれたものが圧倒的に多かった。ジェンダー平等なスウェーデン社会は日本人男性よりも日本人女性にとってより魅力的に映るのだろう。自立心の強い女性にとっては日本よりもスウェーデンの方が息苦しくなく生活できるのかもしれない。実際、日本企業の駐在員あるいは留学目的以外でスウェーデンに単身で来たという日本人女性には数多く会ったが、単身でスウェーデンに住んでいるという日本人男性には会った記憶があまりない。

日本生まれ日本育ちの人が成人してから外国で住むというのは大変なことである。私の個人的な見解であるが、スウェーデンに来る人（外国で生活し始める人）は以下のような順番でスウェーデン（滞在国）のことを評価していくと考えている。はじめは、①日本と比べてスウェーデン（滞在国）の良いところばかりが目につき非常に好意的かつ肯定的にスウェーデン（滞在国）を評価する。しかし、しばらくすると、②日本と比較してスウェーデン（滞在国）の悪いところや不便なところばかりが目につき始め、スウェーデン（滞在国）を批判的あるいは否定的に捉えるようになる。そのあとに、③日本とスウェーデン（滞在国）のそれぞれの良いところと悪いところの両面を理解するようになり、それぞれの国を偏った視点ではなく評価できるようになる。実際私も①→②→③というプロセスでスウェーデンを理解・評価するようになった。ただ、③までくる人はそんなに多くないと思う。多くの人は、①ないし②で日本に帰国してしまう。実際、私が会ったスウェーデンに仕事で4、5年間駐在している日本人の駐在員や留学生には、②がとても多かったという印象を持っている。日本と比べてスウェーデンの不便なところや不快なところを挙げたらきりがない。例えば、はじめてスウェーデンに来る日本人にとってスウェーデンの寒くて暗い冬は耐え難いものがあると思う。なんせ日照時間が一番短い12月の冬至のころは、ストックホルムで午前10時ごろに太陽が昇り、そのあと地平性を這うように太陽が西へ移動し午後3時ごろにはあたり一面が真っ黒になってしまう。太陽光も弱々しい。冬の日中、歩道で目を閉じながら顔を太陽に向けて少しでも太陽の光を浴びようと立ち止まっているスウェーデン人をよく見かける。ストックホルムでも寒い時には氷点下10度（マイナス10度）以下になることもあるが、寒さよりも日照時間が短いことの方が日本人には堪えると思う。しかし寒くて暗い冬ではあるが、街のあちこちには室内プール、室内テニス場、室内の乗馬場、トレーニングジム、図書館などがあり、日本よりもはるかに安価に利用することができる。また、ポーカーやチェスなどを楽しむ様々なサークル活動もある。しかし自分から積極的にこれらのアクティビティにアプローチする必要がある。友人や家族が多くいる日本と違って、一人で家にじっとしていても誰も声をかけて連れ出してはくれない。

冬の日照時間は非常に短いスウェーデンではあるが、反対に夏の日照時間は非常に長い。6月の夏至の日照時間が一番長い時には、ストックホルムでは夜中の12時を過ぎても明るい。なんとなく空が暗くなるのが午前1時ごろで日が昇るのは2時間後の午前3時ごろである。午前1時から午前3時の間は太陽が沈むと言っても真っ暗になるわけではなく、薄暗くなるという感じである。夏のスウェーデンは本当に気候が良い。気候の良い夏にスウェーデンに住み始めた人は、必ず夏と冬のギャップに戸惑うはずである。

夏の日が長いということもあり、私はスウェーデンで水上スキーを本格的に始めた。日本では水上スキーは誰もがやったことがあるようなスポーツではないが、スウェーデンではポピュラーなスポーツである。水上スキーは湖で滑るのだが、スウェーデンには大小無数の湖がある。なにしろ夏は日が長いので湖の水が冷たいことを除けば水上スキーにもってこいの環境がスウェーデンには揃っている。ちなみに当時の水上スキーの世界チャンピオンは男女ともスウェーデン人であった。休日や休暇シーズン以外の仕事のある平日は、夕食を済ませてから夜の8時ごろに湖に集合して11時過ぎまで滑って解散するという感じで水上スキーを楽しんだ。水上スキーができる湖（水上スキークラブ）はストックホルムの街中から車で20分程度の距離に10カ所程度ある。水上スキーはヨットなどと違い無風であることが最高の水面コンディションである。今はインターネットで詳細な風の情報が随時更新されているが、私が一生懸命水上スキーに励んでいた１９９0年代は朝の新聞に大雑把な風の情報が記載されるだけだった。そのため当時は、家を出る前に湖の近く（場合によっては湖畔）に住む水上スキーの友人に電話して風の状態を聞いてから水上スキーの練習に行くかどうか決めた。風があまりに強いと滑っても練習にならないので、そういう時は湖には行かなかった。

スウェーデンで水上スキーを始めたことで良かったことが2つある。1つ目の点は、普段の生活では知り合うことのないような様々な仕事をしている友人と出会うことができたことである。

水上スキーの友人には、医者、看護師、薬剤師、理学療養士、カウンセラー、弁護士、会計士、国家公務員、地方公務員、銀行員、小学校・中学校・高校の教員や校長、警察官、消防士、パイロット、キャビンアテンダント、航空機整備士、自動車整備士、電気工事士、大工、ペンキ屋、郵便配達員、プログラマー、ショップオーナー、変わったところでは馬の蹄鉄を打つ装蹄師などがいた。水上スキーの友人にはありとあらゆる職業の人がいたのである。労働経済学を専門にしている私にとっては、様々な職種の友人から彼らの仕事の話を聞くのはとても興味深かった。私の水上スキーの友人がいかにバラエティに富んでいたかを示すエピソードを一つご紹介したい。スウェーデンではPh. D. を取得すると、それを祝うパーティー（Disputationsfest）をPh. D. 取得者が主催して開くのが一般的である。私のパーティーでは自分の指導教授であったカムフォッシュ教授をはじめとする研究者に加えて、水上スキーの友人をスウェーデン各地から招待した。政治家や財界の人たちとの付き合いが多かったカムフォッシュ教授は研究者以外のパーティーの参加者をみてその多様性（バラエティ）に驚いていた。

スウェーデンで水上スキーをやって良かったと思う2つ目の点は、ストックホルム以外のいろんな町を訪れることができたことである。5月末から8月末にかけてスウェーデンのあちこちで水上スキーの試合が開催される。私は試合に出場するために北から南までスウェーデンのいろんな町を訪れた。多くはガイドブックには載っていないような小さな町であった。町と言っても隣の家まで数百メートルあるような家が点在する町で、町にはスーパーもない日本でいえば過疎地域のような町が多数あった。そういうところを訪れる度に「この町に住んでいる人たちはどうやって生計を立てているのか」、「買い物はどこまで行くのか」、「子供たちはどうやってどこまで学校に通うのか」、「病気になった時にはどうするのか」などの質問で友人たちを質問攻めにしたのを覚えている。水上スキーをやっていなければ、絶対訪れないような場所ばかりであった。いろんな町を訪れて驚いたのは、過疎地域でも、高齢者向けの介護訪問サービスやデイサービスといった様々な社会福祉サービスが都市部で提供されるものと同水準で提供されていたということである。その中でも一番驚いたのは、どんな辺鄙なところにある公衆トイレでも蛇口をひねればお湯が出るし、トイレットペーパーが欠損してるようなことはなかったということである。スウェーデンでは、全土に渡って社会インフラが地域の隔たりなく充実していること、どこに住んでいても高水準の公共サービスが国民に提供されているということを肌で感じることができた。スウェーデンで水上スキーにのめり込んだおかげで、日本に住むどの日本人よりもスウェーデン社会の奥深くまで入り込めたという自信が私にはある。大学での研究からだけではわからないスウェーデン社会の奥深さやユニークさというものを実体験できたことは、自分の視野を広げるという意味でも、今後の研究を進めるうえでも、非常に貴重な体験であり、私にとっての財産である。

スウェーデンについて論じられる時に最もよく使われる表現は、「スウェーデンという国は高福祉高負担の福祉国家である」というものであろう。国民が安心と安全を実感できるためには充実した社会福祉サービスが必要であり、充実した社会福祉サービスを提供するためには国民の負担が必要である。高福祉高負担の制度を持続可能なものにするには、全ての人が同じように社会福祉サービスを享受し、全ての人が社会福祉サービスの費用をごまかすことなく負担する必要がある。それには社会の透明性が高くフェアな社会でなくてはならないのである。社会の透明性を高めるためには、情報公開、個人情報の管理、不正行為の監視が必要であることは本文中で詳しく説明したのでここでは改めて記さない。ただ、個人情報について少しだけ付け加えたい。パーソナルナンバーへの個人情報の紐付けを国家による監視だと否定的に論じる人もいるが、そのことによって税金をごまかしたり、受給資格がない人が社会福祉サービスを不正に受給したりすることが困難となっている。もし政府が個人情報を有していないければ、不正をして制度にただ乗りするフリーライダーがどんどん増加して、その制度はいずれ破綻してしまう。スウェーデンに住んでみると、個人情報がパーソナルナンバーに紐付けされていることで不安を感じるということとはなく、むしろ便利であると感じる人の方が圧倒的に多いはずだ。実際にスウェーデンに駐在で住んでいる日本人に聞いてみたことがあるが、個人情報がパーソナルナンバーに紐付けされていることで不安を感じたことはなく、むしろとても便利だとほとんどの人が回答した。逆説的な言い方かもしれないが、スウェーデンは税負担が重いから政治の透明性も社会の透明性も高くフェアな社会が実現しているのである。つまり、税負担が重いので負担が公平になされているか、納めた税金が無駄なく使われているか、さらには税金の使い方を決める政治が不正なく行われているか、を国民は常に注意深く見守っている。その結果、国民全員がごまかすことなく税金を納める仕組みが構築され、無駄な税金の支出が極力抑えられ、高い政治の透明性と質の高い民主主義がスウェーデンでは実現しているのだ。

本書はスウェーデンと比べて日本社会制度がいかに閉塞的でフェアではないということを強調する論調で説明してきた。もちろん、スウェーデンよりも日本の方が優れていると思うルールや社会制度も多数存在する。しかし、本書ではあえてそこには触れなかった。ただ日本の1人当たりGDPは低下し続け、賃金が上がらず、国民の幸福度も低下し続けている現状で、将来に明るい希望を持てないでいる日本人は増え続けていると思う。今こそ、我々日本人は真剣に日本の将来について考えなくてはいけないのではないだろうか。スウェーデンで実現できている「安心・

安全でフェアな社会」がなぜ日本で実現できていないのかを、本書を読まれた皆さんがご自身で考え、日本の将来が明るいものとなってくれることを切望してやまない。

あとがき

本書の執筆は私自身にスウェーデンを今一度見直す機会とスウェーデンについて改めて勉強する機会を提供してくれた。本書を執筆する過程で、取り上げたトピックについて文献や統計資料を一つ一つ確認しながら書き進めたが、その過程で数多くの再発見と驚きがあった。改めて感じたことは、スウェーデンは公開されている統計データや情報が豊富でインターネットでのアクセスが誰にでも容易にできるということである。さすが情報公開の国スウェーデンということを改めて感じた。また本文中でも紹介したが、様々な公式情報がスウェーデン語と英語以外の30カ国近い言語で提供されており、その言語数が年々増加していることにも驚いた。提供言語数の増加はまさにダイバーシティがどんどん進んでいることの証左である。しかし、スウェーデンの統計データで一番感銘を受けたのは、将来必要となるかもしれないと想定して様々なデータが収集されているということである。つまり、整理・公表されていない原データが多数存在し、その時その時の時代の要請に応じて原データが整理されて公表されているのである。

米国や中国に比べると、日本人にとってスウェーデンは馴染みの薄い国である。これは、日本とスウェーデンとの経済的なつながりが、日本と米国、日本と中国ほど強いものではないからであろう。しかし、日本だけではなく多くの国がスウェーデンの動向に関心を寄せている。その一つの理由は、スウェーデン社会がとてもユニークな社会であるからであろう。

私がスウェーデンとこんなに長くかかわりを持つようになったのは全てが偶然の積み重ねである。しかし、今やスウェーデンは私にとって第二の故郷と言ってもいいくらいの心の距離が近い国である。日本からの実際の距離も実はストックホルムの方がロンドンやパリよりも近い。しかし、日本人の多くがスウェーデンは遠い国だと思っている。ロンドンやパリに飛行機で行く際には、飛行機はストックホルム上空を通過してロンドンやパリまで飛んでいく。スウェーデンは決して遠い国ではないのである。もし読者の皆さんの中でスウェーデンに少しでも興味を持たれた方がいたら、一度スウェーデンを訪れてスウェーデン社会の空気を肌で感じていただけたら、本書を執筆した者としては幸甚の至りである。

福島淑彦

参考文献

序　章

Eger, R. J and J. H. Maridal, 2015, A statistical meta-analysis of the wellbeing literature, International Journal of Wellbeing 5.

Flavin, P., A. C. Pacek and B, Radcliff, 2011, State Intervention and Subjective Well-Being in Advanced Industrial Democracies, Politics & Policy 39.

OECD stat. Family Database′ The Structure of Family（https://stats. oecd. org/Index. aspx?QueryId=68244）.

OECD stat, Foreign Population（https://data. oecd. org/migration/foreign-population. htm#indicator-chart）.

OECD stat. Suicide Rates（https://data. oecd. org/healthstat/suicide-rates. htm）.

Rose, A. K., 2006, Size Really Doesn't Matter：In Search of a National Scale Effect, Journal of the Japanese and International Economies 20.

SCB Befolkningsstatistik（https://www. scb.se/en/finding-statistics/statistics-by-subject-area/population/population-composition/population-statistics/）.

Stanca, L., 2010, The Geography of Economics and Happiness：Spatial Patterns in the Effects of Economic Conditions on Well-Being, Social Indicators Research 99.

UN Sustainable Development Solutions Network（SDSN）（https://www.unsdsn.org/）.

World Happiness Report（https://worldhappiness.report/archive/）.

第一章

国立国会図書館調査及び立法考査局（２０１２）「スウェーデン憲法」（https://dl.ndl.go.jp/view/download/digidepo_3382167_po_201101a.pdf?contentNo=1）.

総務省、２０２１、マイナンバーカードの市区町村別交付枚数等について（https://www.soumu.go.jp/main_content/000773377.pdf）.

ブリタニカ、２０１８、ブリタニカ国際大百科事典 小項目版 プラス世界各国要覧、ロゴヴィスタ社.

Amnesty International, ２０２０死刑の存置国・廃止国一覧〈２０２０年12月31日現在〉（https://www.amnesty.or.jp/human-rights/topic/death_penalty/DP_2020_country_list.pdf）.

Becker, G. S. 1968, Crime and Punishment: An Economic Approach, Journal of Political Economy 76.

Skattverket, Personnummer （https://skatteverket.se/privat/folkbokforing/personnummerochsamordningsnummer.4.3810a01c150939e893f18c29.html）.

SPAR（https://www.statenspersonadressregister.se/master/start/）.

Transparency International, Corruption Perceptions Index（https://www.transparency.org/en/cpi/2021）.

第二章

厚生労働省、２００７、厚生労働白書（https://www.mhlw.go.jp/wp/hakusyo/kousei/07/）.

厚生労働省、２０２１、令和元（２０１９）年度国民医療費の概況（https://www.mhlw.go.jp/toukei/saikin/hw/k-iryohi/19/dl/data.pdf）.

国税庁（https://www.nta.go.jp/taxes/shiraberu/taxanswer/shotoku/2260.htm）.

国税庁、令和2年分　民間給与実態統計調査（https://www.nta.go.jp/publication/statistics/kokuzeicho/minkan/gaiyou/2020.htm#:~: text=(3)%20%E7%B5%A6%E4%B8%8E%E6%89%80%E5%BE%97%E8%80%85%E3%81%AE,%E6%B8%9B%E5%B0%91%EF%BC%89%E3%81%A8%E3%81%AA%E3%81%A3%E3%81%A6%E3%81%84%E3%82%8B%E3%80%82）.

財務省　酒税改正（https://www.mof.go.jp/tax_policy/summary/consumption/d08.htm）.

スウェーデン中央銀行ホームページ（https://www.riksbank.se/sv/betalningar--kontanter/sa-betalar-svenskarna/sa-betalar-svenskarna-2020/1.-betalningsmarknaden-digitaliseras/manga-betalar-med-mobilen-till-exempel-via-swish/e-handel-blir-allt-vanligare/）.

日本銀行、２０１７ ＢＩＳ決済統計からみた日本のリテール・大口資金決済システムの特徴　（https://www.boj.or.jp/research/brp/psr/psrb170221.pdf）.

Blomqvist, J. 1998' The Swedish Model of Dealing with Alcohol Problems: Historical Trends and Future Challenges, Cotemporary Drug Problems 25. OECD, Revenue Statistics（https://stats.oecd.org/index.aspx?DataSetCode=REV）.

SCB, 1956, Statistisk Årsbok för Sverige（https://share.scb.se/ov9993/data/historisk%20statistik//SOS%201911-/Statistisk%20%C3%A5rsbok%20（SOS）%201914-2014/Statistisk-arsbok-for-Sverige-1956.pdf）.

Skattverket, Skattesatser（https://www. skatteverket. se/foretag/skatterochavdrag/punktskatter/alkoholskatt/skattesatser. 4.4a47257e143e26725aecb5. html）.

Skattverket, Skattetabeller, löntagare（https://www.skatteverket.se/privat/etjansterochblanketter/blanketterbroschyrer/broschyrer/info/403.4.39f16f103821c58f680007749.html）.

Skattverket（https://www.riksbank.se/sv/betalningar--kontanter/sa-betalar-svenskarna/sa-betalar-svenskarna-2020/1.-betalningsmarknaden-digitaliseras/kontanterna-tappar-mark/）.

Swish（https://www.swish.nu/om-swish）.

第三章

岡澤憲芙（１９８８）「スウェーデン現代政治」（東京大学出版会）.

スウェーデン外務省ホームページ（https://www.government.se/government-policy/democracy-and-human-rights/we-are-standing-up-for-democracy/）.

民主主義・選挙支援国際研究所（https://www.idea.int/data-tools/data/voter-turnout）.

Economist, Democracy Index 2020: In sickness and in health?（https://www.eiu.com/n/campaigns/democracy-index-2020/）.

Expressen、２０１１年５月20日、Mikaela Valtersson（MP）valde taxi framför pendeltåg（https://www.expressen.se/nyheter/mikaela-valtersson-mp-valde-taxi-framfor-pendeltag/）.

Lag（2016：1108）om ersättning till riksdagens ledamöter（https://www.riksdagen.se/sv/dokument-lagar/dokument/svensk-forfattningssamling/lag-20161108-om-ersattning-till-riksdagens_sfs-2016-1108）.

Medieombudsmannen（https://medieombudsmannen.se/om-oss/）.

SCB“Genomsnittlig månadslön efter sektor 1992–2020”（https://www.scb.se/hitta-statistik/statistik-efter-amne/arbetsmarknad/loner-och-arbetskostnader/lonestrukturstatistik-hela-ekonomin/pong/tabell-och-diagram/lonespridning-efter-sektor-och-kon/）.

Sveriges Riksdag, Ledamöternas arvoden（https://www.riksdagen.se/sv/sa-funkar-riksdagen/ledamoternas-arvoden-och-villkor/ledamoternas-arvoden/）.

2021 WORLD PRESS FREEDOM INDEX（https://rsf.org/en/ranking?#）.

第四章

厚生労働省、２０２１、令和２年度雇用均等基本調査（https://www.mhlw.go.jp/toukei/list/71-r02.html）.
新宿区、２０２１、しんじゅく保育施設ガイド（令和４年度入園版）（https://www.city.shinjuku.lg.jp/content/000249396.pdf）.
スウェーデン政府、Förskolegaranti（https://www.regeringen.se/4af34f/contentassets/d2f4655da5e7405b9888394c9a67a5b/forskolegaranti-del-1-av-2-forord-till-ii-problem-med-drojesmal-sou-201341）.
ストックホルム市ホームページ、Avgifter för förskola（https://forskola.stockholm/avgifter/）.
内閣府、２０２１、令和２年少子化に関する国際意識調査報告書（https://www8.cao.go.jp/shoushi/shoushika/research/r02/kokusai/pdf_index.html）.
年金庁ホームページ　最低補償年金（https://www.pensionsmyndigheten.se/forsta-din-pension/sa-fungerar-pensionen/garantipension-om-du-har-lag-pension）.
SCB（2020）、Ersatta dagar för vård av barn 1974–2020（https://www.scb.se/hitta-statistik/temaomraden/jamstalldhet/ekonomisk-jamstalldhet/inkomster-och-loner/ersatta-dagar-for-vard-av-barn-1974-/）.
World Economic Forum, The Global Gender Gap report（https://www.weforum.org/）.

第五章

経済産業省、ダイバーシティ経営の推進（https://www.meti.go.jp/policy/economy/jinzai/diversity/index.html）.
経団連、２０１７、ダイバーシティ・インクルージョン社会の実現に向けて（https://www.keidanren.or.jp/policy/2017/039_honbun.pdf）.

厚生労働省、２０１９ａ、平成30年度障害者雇用実態調査（https://www.mhlw.go.jp/content/11601000/000521376.pdf）．

厚生労働省、２０１９ｂ、平成30年賃金構造基本統計調査の概況（https://www.mhlw.go.jp/toukei/itiran/roudou/chingin/kouzou/z2018/dl/13.pdf）．

厚生労働省、２０２１ａ、令和３年（２０２１年）版障害者白書（https://www8.cao.go.jp/shougai/whitepaper/r03hakusho/zenbun/index-pdf.html）．

厚生労働省、２０２１ｂ、令和３年（２０２０年）障害者雇用の集計結果（https://www.mhlw.go.jp/content/11704000/000871748.pdf）．

渋谷区、２０２２、全国パートナーシップ制度共同調査（https://www.city.shibuya.tokyo.jp/kusei/shisaku/lgbt/kyodochosa.html）．

総務省統計局、２０１９、労働力調査　２０１８年（https://www.stat.go.jp/data/roudou/rireki/nen/dt/pdf/2018.pdf）．

総務省統計局、２０２２、労働力調査（基本集計）　２０２１年（令和３年）平均結果（https://www.stat.go.jp/data/roudou/sokuhou/nen/ft/pdf/index1.pdf）．

中西絵里、２０１７、ＬＧＢＴの現状と課題―性的指向又は性自認に関する差別とその解消への動き―、立法と調査、立法と調査　No. 394.（https://www.sangiin.go.jp/japanese/annai/chousa/rippou_chousa/backnumber/2017pdf/20171109003.pdf）．

裁判所、性別の取扱いの変更（https://www.courts.go.jp/saiban/syurui/syurui_kazi/kazi_06_23/index.html）．

福島淑彦「スウェーデンの障害者労働市場」（北ヨーロッパ研究２０１９年第15巻）．

Arbetsförmedlingen, 2021 Situationen på arbetsmarknaden för personer med funktionsnedsättning 2020, SCB.

OECD, 2019, Socieity at a Glance 2019（http://dx.doi.org/10.1787/888933938059）OECD, 2019, Society at a Glance 2019（https://www.oecd-ilibrary.org/docserver/soc_glance-2019-en.pdf?expires=1641088334&id=id&accname=guest&check

sum=68EBFCBEEA3A23B82CAF70A0CDA05D1F).
OECD, Foreign population（https://data.oecd.org/migration/foreign-population.htm）.
SCB Befolkningsutveckling – födda, döda, in- och utvandring samt giftermål och skilsmässor 1749–2020（https://www.scb.se/hitta-statistik/statistik-efter-amne/befolkning/befolkningens-sammansattning/befolkningsstatistik/pong/tabell-och-diagram/helarsstatistik--riket/befolkningsutveckling-fodda-doda-in--och-utvandring-gifta-skilda/）.

第六章

国民健康保険中央会、２０１６、正常分娩分の平均的な出産費用について（平成28年度）（https://www.kokuho.or.jp/statistics/birth/lib/h28nendo_syussan1-4.pdf）.
スウェーデン集中治療登録（https://www.icuregswe.org/data--resultat/covid-19-i-svensk-intensivvard/）.
日本学生支援機構、２０２１、令和元年度 奨学金の返還者に関する属性調査結果（https://www.jasso.go.jp/statistics/shogakukin_henkan_zokusei/__icsFiles/afieldfile/2021/06/17/r1zokuseichosa_shosai.pdf）.
文部科学省、２０２１、令和3年度学校基本調査（https://www.mext.go.jp/content/20211222-mxt_chousa01-000019664-1.pdf）.
CSN（Centrala studiestödsnämnden、中央学生支援協会）（https://www.csn.se/bidrag-och-lan/studiestod.html）を参照.
Försäkringskassan（社会保険庁）（https://www.forsakringskassan.se/privatpers/foralder/barnbidrag）.
Government Offices of Sweden "Public agencies and how they are governed"（https://www.government.se/how-sweden-is-governed/public-agencies-and-how-they-are-governed/）.
OECD, 2019. Education at a Glace 2019（https://www.oecd-ilibrary.org/docserver/f8d7880d-en.pdf?expires=1644742451&

id=id&accname=guest&checksum=AC92CAAD85EAE6D315C89492AC77298C).
SCB, 2021. Universitet och högskolor Studenter och examinerade på grundnivå och avancerad nivå 2019/20（https://www.scb.se/contentassets/d3962a50ac884f2a96a2b7c9ce8e9a75/uf0205_2019l20_sm_uf20sm2101.pdf).

SCB（https://www.scb.se/en/finding-statistics/statistics-by-subject-area/education-and-research/education-of-the-population/the-transition-from-upper-secondary-school-to-post-secondary-education/).

Smittskyddslag（感染対策法）（https://www.riksdagen.se/sv/dokument-lagar/dokument/svensk-forfattningssamling/smittskyddslag-2004168_sfs-2004-168).

Stockholm International Peace Research Institute（http://www.sipri.org/databases/milex).

福島淑彦（ふくしま・よしひこ）

早稲田大学政治経済学術院教授。1963年生まれ、東京都出身。慶應義塾大学経済学部卒業、同大学大学院経済学研究科前期博士課程修了（経済学修士）後、ソロモン・ブラザーズ・アジア証券会社に入社し、東京・ニューヨークで勤務。2003年スウェーデン王立ストックホルム大学経済学研究科博士課程修了（Ph.D.）。名古屋商科大学教授を経て2007年より現職。専門は労働経済学。著書に『首都直下地震――被害・損失とリスクマネジメント』（早稲田大学出版部）など。

早稲田新書015

スウェーデンのフェアと幸福《こうふく》

2022年９月12日　初版第１刷発行

著　者　福島淑彦
発行者　須賀晃一
発行所　株式会社 早稲田大学出版部
〒169-0051　東京都新宿区西早稲田１-９-12
電話　03-3203-1551
http://www.waseda-up.co.jp
装　丁　三浦正已（精文堂印刷株式会社）
印刷・製本　精文堂印刷株式会社

ISBN：978-4-657-22013-4

早稲田新書の刊行にあたって

いつの時代も、わたしたちの周りには問題があふれています。一人一人が抱える問題から、家族や地域、国家、人類、世界が直面する問題まで、解決が求められています。それらの問題を正しく捉え解決策を示すためには、知の力が必要です。整然と分類された情報である知識。日々の実践から養われた知恵。これらを統合する能力と働きが知です。

早稲田大学の田中愛治総長（第十七代）は答のない問題に挑戦する「たくましい知性」と、多様な人々を理解し尊敬して協働できる「しなやかな感性」が必要であると強調しています。知はわたしたちの問題解決によりどころを与え、新しい価値を生み出す源泉です。日々直面する問題に圧倒されるわたしたちの固定観念や因習を打ち砕く力です。「早稲田新書」はそうした統合の知、問題解決のために組み替えられた応用の知を培う礎になりたいと希望します。それぞれの時代が直面する問題に一緒に取り組むために、知を分かち合いたいと思います。

早稲田で学ぶ人。早稲田で学んだ人。早稲田で学びたい人。早稲田で学びたかった人。早稲田とは関わりのなかった人。これらすべての人に早稲田大学が開かれているように、「早稲田新書」も開かれています。十九世紀の終わりから二十世紀半ばまで、通信教育の『早稲田講義録』が勉学を志す人に早稲田の知を届け、彼ら彼女らを知の世界に誘いました。「早稲田新書」はその理想を受け継ぎ、知の泉を四荒八極まで届けたいと思います。

早稲田大学の創立者である大隈重信は、学問の独立と学問の活用を大学の本旨とすると宣言しています。知の独立と知の活用が求められるゆえんです。知識と知恵をつなぎ、知性と感性を統合する知の先には、希望あふれる時代が広がっているはずです。

読者の皆様と共に知を活用し、希望の時代を追い求めたいと願っています。

２０２０年12月　　須賀晃一